PROCURA-SE ZAPATA

Caio Tozzi

PROCURA-SE ZAPATA

ilustrações:
RENATO DRIGGS

2ª impressão

PANDA BOOKS

Texto © Caio Tozzi
Ilustrações © Renato Driggs

Diretor editorial
Marcelo Duarte

Diretora comercial
Patth Pachas

Diretora de projetos especiais
Tatiana Fulas

Coordenadora editorial
Vanessa Sayuri Sawada

Assistente editorial
Olívia Tavares

Capa e diagramação
Vanessa Sayuri Sawada

Diagramação
Rafi Achcar

Preparação
Beto Furquim

Impressão
Corprint

CIP – BRASIL. CATALOGAÇÃO NA PUBLICAÇÃO
SINDICATO NACIONAL DOS EDITORES DE LIVROS, RJ

Tozzi, Caio
Procura-se Zapata / Caio Tozzi; ilustrações Renato Driggs.
– 1. ed. – São Paulo: Panda Books, 2017. 216 pp.

ISBN: 978-85-7888-653-0

1. Ficção infantojuvenil brasileira. I. Driggs, Renato. II. Título.

17-41140   CDD: 028.5
             CDU: 087.5

2018
Todos os direitos reservados à Panda Books.
Um selo da Editora Original Ltda.
Rua Henrique Schaumann, 286, cj. 41
05413-010 — São Paulo — SP
Tel./Fax: (11) 3088-8444
edoriginal@pandabooks.com.br
www.pandabooks.com.br
Visite nosso Facebook, Instagram e Twitter.

Nenhuma parte desta publicação poderá ser reproduzida por qualquer meio ou forma sem a prévia autorização da Editora Original Ltda. A violação dos direitos autorais é crime estabelecido na Lei nº 9.610/98 e punido pelo artigo 184 do Código Penal.

Para os amigos do Edifício Jaguanum, por aqueles verões todos.

SUMÁRIO

Apresentação — Emoção e mistério sob o sol escaldante 9
Quem é quem 12

O ano que vai nascer 15
Uma homenageada bem conhecida 23
Um encontro inusitado 29
Uma pergunta no ar 32
Um presente para mina 34
O estranho no sofá 39
Zapata não está 41
O apoio de Dona Hélia 45
Alguém viu Zapata? 50
Em busca de alguma pista 56
A lenda do Guri 60
Avisando a polícia 71
Seria uma primeira pista? 75
Conversa de amigo 82
Uma notícia nada agradável 85
Muita calma nessa hora 91

Uma prancha aos pedaços..................93
Um estranho comportamento..................97
A pedra da discórdia..................103
Os segredos de uma pedra preciosa..................111
Senhor Fisher, um tesouro e um sósia.....114
O passado vem à tona..................126
Uma relação suspeita..................131
Pistas na mesa..................135
Um pescador que viu demais..................139
Onde mora o segredo..................145
Um beijo..................150
Um coração dividido..................153
Acerto de contas..................156
Uma senhora no caminho..................160
O pedido..................164
Busca em alto mar..................167
Zapata de volta..................171
Uma trama cheia de ligações..................176
Olhos de Zapata..................195
Amores de verão..................205
É o fim?..................209

Uma conversa para depois da história.....211

Emoção e mistério sob o sol escaldante

Ah, o verão!

Duvido alguém discordar que esta é a época do ano que tem tudo que é mais legal na vida. Sol, praia, descanso, amigos – e muita energia para gastar com eles –, liberdade e, é claro, aqueles amores bem típicos do período.

Bom, eu devo confessar que adoro. Grande parte dos meus verões curti no Guarujá, uma cidade que fica no litoral paulista. Foram férias inesquecíveis, que estão guardadas até hoje aqui em minha memória. Talvez seja por isso que, quando resolvi criar uma nova aventura infantojuvenil, pensei: por que não criar a história de umas férias fantásticas de um grupo de amigos? Que reunisse as melhores coisas que o verão traz? Aí fui imaginando tanta coisa. Até que cheguei em uma ideia: imagine se, além de tudo, um mistério fizesse a viagem dos meus personagens ficar muito mais emocionante?

Era isso!

Esse foi o ponto de partida para *Procura-se Zapata*. Na trama que você vai ler nas próximas páginas, três garotos serão os protagonistas: os inseparáveis amigos Zapata, DK e Vollare. Tudo começa quando eles viajam para a turística Vila dos Dois Ventos, uma cidadezinha no litoral do país, sozinhos pela primeira vez (isso mesmo: sozinhos!). O que o trio mais desejava é que essa viagem fosse inesquecível.

E vai acabar sendo, você vai ver.

Mas o grande motivo não era exatamente o que esperavam: Zapata, o mais novo deles, desaparece. Não, fique tranquilo, isso não é um *spoiler*. Na verdade é a única coisa que posso adiantar! É a partir desse acontecimento que tudo vai ocorrer. Onde será que o garoto foi parar? O que, afinal, aconteceu com ele?

Você deve imaginar quantas perguntas vão surgir na cabeça de DK e Vollare. Com a ajuda das amigas Mina e Nara, eles terão que trazer à tona os detetives que moram dentro deles para tentar desvendar esse mistério.

Bom, e para criar este livro fui me inspirar nas novelas juvenis que tanto marcaram gerações de leitores brasileiros nas décadas de 1970 e 1980 – os títulos da Coleção Vaga-Lume e os livros de Marcos Rey, João Carlos Marinho e Pedro Bandeira. Sabe aquela aventura que sempre foi um prato cheio para quem já é um leitor voraz, mas que chama a atenção de quem ainda vai mergulhar na literatura? Esse era o meu desejo com *Procura-se Zapata*. Posso afirmar que o livro é uma homenagem a esses autores que citei e que ainda vivem na lembrança de tanta gente (inclusive na minha).

Agora é hora de deixar o sol esquentar as emoções.

Virando a página, você vai conhecer um pouco mais dos personagens que estarão contigo nessa jornada. E no final do livro, nós continuaremos esta conversa: lá você vai encontrar várias curiosidades sobre a criação e os bastidores deste livro (mas consulte só depois que a leitura acabar porque lá, tem sim, uns *spoilers*!).

Está preparado?

Então, vire a página e mergulhe nessa aventura!

Um abraço do Caio

Quem é quem

Conheça os personagens principais desta incrível aventura!

Zapata
Ele é a cara do verão. Surfista e bronzeado, adora estar no mar. Bonito, costuma chamar muito a atenção das garotas. Só que nessas férias, ele desaparece misteriosamente.

DK
Dos três amigos, é o mais extrovertido. Completamente apaixonado por Mina, ele também sofre com o ciúme que tem da garota. Impulsivo e espontâneo, não costuma medir o que fala.

Vollare
É um grande observador. Sempre está atento a todos os detalhes e consegue tirar conclusões de onde ninguém imagina. Carinhoso e cheio de preocupação com os amigos, esconde de todos um amor platônico.

Mina
Uma garota esperta e cheia de vida. Gosta muito de estar com os amigos e tem uma relação amorosa (e conturbada) com DK.

Nara
É a única da turma que mora na Vila dos Dois Ventos. Simpática, ela é a grande paixão de Zapata. Mas é muito difícil e não dá chance para ele.

Dona Hélia
É a dona da pousada onde o trio de amigos se hospeda durante essas férias de verão. Muito atenciosa, é querida por todos na cidade. Mas talvez esconda algum segredo que ninguém imagina.

O estrangeiro
Um sujeito alto e de olhos claros, que sempre veste um chapéu panamá e um terno claro. Hóspede da pousada de dona Hélia, costuma se comunicar em inglês.

Senhor Fisher
Um senhor especialista e apaixonado por pedras preciosas, vive recluso em um casarão da Vila dos Dois Ventos.

Quando a gente menos espera, o verão começa.

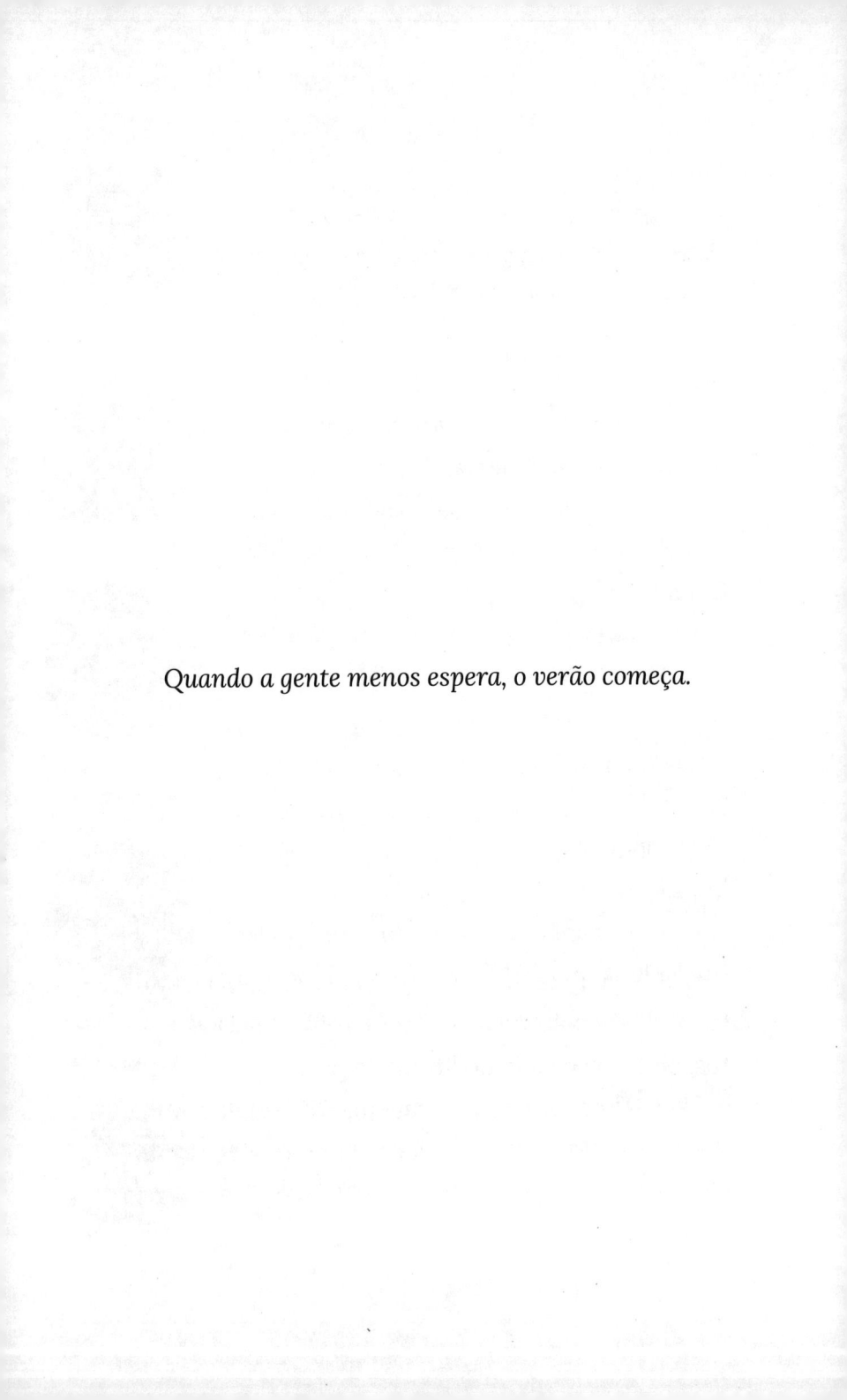

O ANO QUE VAI NASCER

— Ainda bem que você chegou!

DK estava sentado no chão. Olhava impaciente no relógio de seu celular. Pouco antes do anoitecer, havia mandado uma mensagem para Mina. Sugeria um reencontro no lugar de sempre: atrás da Igreja Matriz. Era lá que, em outros verões, o casal costumava ficar junto.

O garoto estava aflito, pois até aquela hora — pouco antes da meia-noite — não tinha recebido qualquer resposta. Mesmo assim, pressentia que ela iria aparecer.

Mina era a única menina por quem DK se sentiu realmente envolvido na vida. E não conseguia tirá-la da cabeça desde quando resolveu, junto de seus dois melhores amigos, Vollare e Zapata, que a viagem de férias seria, mais uma vez, para a Vila dos Dois Ventos, pequena cidade do litoral do país.

— Eu recebi sua mensagem, DK — falou Mina, chegando ao local combinado, com uma cara muito desconfiada. — Você nem me avisou que voltaria nessas férias.

— Quis fazer surpresa!

Ele se levantou e ofereceu um abraço.

Mina passou reto e sentou-se em um banco ali perto.

— Fala logo o que você quer — pediu a garota, trocando mensagens em seu celular. — Daqui a pouco chega o Ano-Novo e eu não quero perder, de jeito nenhum, os fogos lá na praia.

O garoto, incomodado com a impaciência dela, seguiu até o banco. Sem falar nada, colocou sua mão em cima da dela, que esquivou. Mina rapidamente se levantou, tentando encerrar o encontro. Antes que pudesse argumentar qualquer coisa sem sentido, DK puxou-a pelo braço.

— Eu te fiz alguma coisa?

Ela abaixou a cabeça, depois olhou para o céu, querendo fugir da pergunta.

— Eu só acho que não devemos ficar juntos outra vez.

Não era a resposta que DK esperava.

— Apareceu outro cara, não é? — perguntou sobre a única coisa que passou por sua cabeça.

— Não, não é nada disso, DK — respondeu Mina, soltando-se. — Eu só acho que o que tivemos foi um lance rápido, ficamos algumas vezes e...

Sem deixar ela terminar, DK beijou sua boca.

— E o quê? — completou ele. — O que você estava dizendo, Mina?

— Eu acho que você não deveria fazer isso sem a minha autorização. Me solta, vai DK! — respondeu a garota, pedindo distância do menino.

Depois, ficou quieta. Sem reação, precisava de um tempo para pensar.

DK conferiu o relógio, que marcava dez para a meia-noite.

Se ela não falasse qualquer coisa naqueles dez minutos, passariam a noite lá, escondidos atrás da igreja mesmo. Ele estava mais do que decidido: não deixaria Mina partir sem que resolvessem aquela história.

A relação do casal acontecia, entre idas e vindas, há alguns anos. Os dois tinham se conhecido quatro verões antes, quando eram mais crianças do que adolescentes. Mina passava as férias na Vila desde muito pequena, pois sua família tinha uma casa de praia na região. Já DK frequentava as areias disputadas da pequena cidade desde os sete anos. Todo começo de ano, seus pais costumavam reunir alguns amigos para viajar — entre os quais estavam os pais de Vollare e Zapata. Os três cresceram juntos e acabaram se tornando amigos inseparáveis. Aquelas férias, porém, tinham um gostinho especial: era a primeira vez que haviam recebido autorização para viajarem sozinhos.

— E aí? — perguntou DK, depois de cinco minutos de silêncio, conferidos no relógio.

Mina olhava o garoto, sem dizer uma palavra.

— O que foi? — quis saber ele, estranhando o silêncio.

— Gosto de te olhar quieta — confessou. — Você tem muitas coisas para se prestar atenção. Não posso desperdiçar essas oportunidades.

Um silêncio se fez.

— O problema é que você, às vezes, age de um jeito... — ela completou. — ... que não precisa. Acho que a gente pode tentar, sim. Mas fica esperto!

O menino segurou-a pela cintura e encostou seu rosto no dela. Apesar de tudo, Mina gostava dele e sabia muito bem disso. Achava apenas que, muitas vezes, DK agia de maneira imatura. Na verdade, o pior mesmo eram os ataques de ciúmes. Fora isso, ele era bonito, simpático, brincalhão e corajoso.

O menino, então, aproximou-se dela, querendo outro beijo.

UM!

— Já já um novo ano vai nascer para nós, Mina!

DOIS!

— Vamos para a praia, DK!
TRÊS!
— E se a gente ficasse aqui, só nós dois?
QUATRO!
— Ah, não! Eu quero ver os fogos!
CINCO!
— A gente já vai!
SEIS!
— Eu estava esperando tanto esse momento. Disseram que vão ser os fogos mais lindos dos últimos anos...
SETE!
— Eu só queria te dizer uma coisa.
OITO!
— O quê?
NOVE!
— Eu gosto de você de verdade, Mina.
DEZ!
— Feliz Ano-Novo, DK!

Naquele instante, beijou o companheiro, desejando um lindo ano para ele. Sem dar tempo a qualquer outra demorada declaração do garoto, puxou-o pela mão, querendo chegar ao cais o mais rápido possível — era lá que acontecia a superfesta de Réveillon.

Ao se virar, porém, a menina deu um grito.

Viu alguém parado na frente deles. A pessoa estava ofegante e parecia desconcertada.

DK abraçou Mina, tentando protegê-la. Quando tomou a frente para encarar o sujeito, reconheceu os olhos azuis arregalados — que estavam tão brilhantes quanto assustados.

— Zapata! — disse DK, aliviado. — O que você quer aqui?

— Eu preciso falar com você!

— Nossa, Zapata! Juro que nem te reconheci... — falou Mina, acalmando-se. — Como você cresceu nesse último ano, hein?

— Cara, eu não vou poder te ajudar agora — respondeu DK, segurando a mão da garota. — Você não vê que estou com a Mina e...

— É urgente, DK! Por favor! — insistiu Zapata.

— Pode ir com ele, DK. A gente se encontra lá na praia... — falou a garota, suspeitando que o assunto fosse realmente sério.

— De jeito nenhum, Mina. Nós vamos juntos para a festa — decidiu DK, indo na direção de Zapata. — Depois a gente conversa, cara. Pode ser?

Zapata respirou profundamente. Atônito, saiu correndo sem ao menos se despedir dos dois ou desejar um bom ano. O casal viu o garoto desaparecer no meio da multidão.

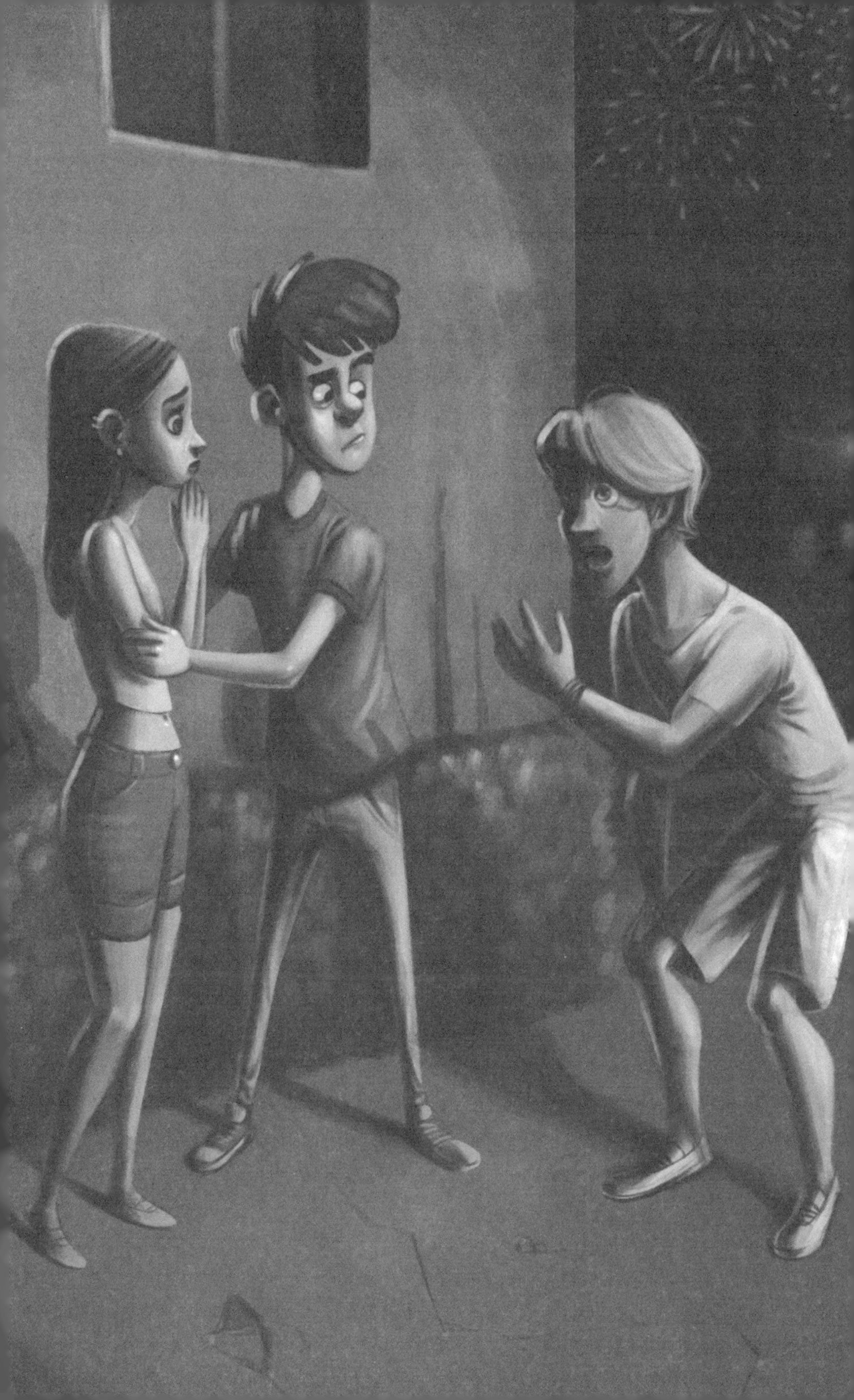

DK olhou para o céu e disse:

— Vamos lá! Acho que ainda conseguimos pegar alguns fogos.

Mina apertou a mão dele. Tinha ficado impressionada com o desespero de Zapata.

— Não é melhor você ir ver o que aconteceu com ele? — sugeriu. — Ele estava muito estranho.

DK fez um gesto de negativo com a cabeça e abraçou a amada.

— Esqueça isso, Mina! O Zapata, às vezes, é muito exagerado. Conheço o moleque desde pequeno. Ele precisa aprender que tudo tem o seu tempo. E o meu, nesse instante, é só seu.

UMA HOMENAGEADA BEM CONHECIDA

O cais localizado na praia mais agitada da cidade, conhecida como Praia do Guri, estava em clima de festa. Pela primeira vez, a prefeitura local investira fortemente em um grande evento de Réveillon, com o objetivo de atrair mais turistas para a temporada. A proposta era que toda a população se juntasse nas ruas e celebrasse, a céu aberto, o ano que estava chegando.

A principal atração, conforme a mídia local anunciava à exaustão há pelo menos um mês, era o espetáculo pirotécnico que todos viram nos céus. De uma balsa posicionada em alto-mar, quilos e quilos de fogos de artifício explodiram pelos ares, fazendo a alegria das pessoas espalhadas pela orla. Ao fim da apresentação, uma salva de palmas foi dada para o show de luzes.

As ruas, postes, bancos, quiosques estavam decorados de branco e amarelo. As árvores estavam todas iluminadas e a que chamava mais atenção era o lindo ipê-roxo que ficava na praça central. Os casarões antigos, os paralelepípedos que cobriam a maior parte das ruas e os postes do início do século davam mais charme ao ambiente.

Vollare estava sentado no deque, observando toda a movimentação. Divertia-se com as centenas de pessoas, a maioria vestida de branco, que levavam suas oferendas para Iemanjá, a protetora dos mares, ou pulavam as sete ondas, fazendo pedidos. O garoto não era dessas simpatias — uma breve oração bastou para que se sentisse protegido na nova etapa. Em seguida, decidiu procurar os amigos.

Vollare sabia que DK estava com Mina atrás da igreja — o amigo só falou naquele assunto a noite inteira, tão ansioso que estava. Já Zapata, que o acompanhava até pouco antes das 11, tinha ido buscar seu celular esquecido na pousada onde se hospedavam. Mas o amigo tinha prometido que voltaria ao deque antes da meia-noite para que passassem a virada juntos. Vollare até estranhou o sumiço repentino, mas imaginou que tivesse se encontrado com alguém no caminho e esquecido o combinado. Zapata era assim mesmo.

Andando pelas ruas da cidade, encontrou um ou outro conhecido de férias anteriores, dançou entre um grupo muito empolgado com a festa, acenou e beijou pessoas que nunca tinha visto antes. O clima era de afeto e alegria. "Que bom estar na Vila dos Dois Ventos outra vez!", pensou.

O melhor lugar para encontrar alguém no meio da massa naquela noite era, sem dúvida, a Praça da Matriz — onde estava localizada a igreja histórica. "Certamente uma hora ou outra, DK e Zapata vão passar por aqui", imaginou Vollare. A praça estava lotada: os bares ao redor não tinham mais mesas disponíveis, as reservas dos restaurantes ali perto estavam esgotadas, e pessoas se acotovelavam em frente a um pequeno palco montado para a ocasião. Lá em cima, uma banda tocava músicas de vários gêneros para agradar todo tipo de gosto.

Vollare sentou-se em um banco que dava vista para o pequeno show e foi conferir no celular se tinha alguma mensagem dos companheiros — mas não, encontrou apenas uma de sua mãe, desejando um lindo Ano-Novo e pedindo juízo naqueles vinte dias que passaria sozinho na companhia apenas dos dois amigos.

Naquele instante, um movimento no palco chamou a atenção do garoto. A banda, que tocava quase de improviso, anunciou que interromperia o show para o discurso do prefeito da cidade. Sob a vaia dos mais empolgados com a música, o prefeito começou sua fala prometendo que seria breve. Obviamente, exaltou os feitos de sua administração e apontou as belezas daquela cidade turística. Em seguida, aproveitou a oportunidade para oferecer, por mais um ano, o título de Cidadão Exemplar da Vila dos Dois Ventos — uma espécie de menção honrosa destinada a pessoas que faziam trabalhos voltados para a comunidade. Tantan, um dos pescadores mais conhecidos da cidade, havia ganhado o pequeno troféu na edição anterior pelo seu trabalho como guia turístico e seria o responsável por entregar a condecoração para o escolhido do ano.

— Queria chamar ao palco a nossa homenageada! — falou o prefeito. — Por favor, venha até aqui, senhora Hélia Durán!

Todos aplaudiram.

— Essa mulher que chegou aqui há pouco tempo e já contribuiu tanto para nossas pessoas. Sempre generosa, vive abrindo as portas de sua linda pousada para as celebrações da nossa Casa de Cultura e também da nossa Associação de Amigos.

A mulher que subiu ao palco não era estranha para Vollare. Muito alta e muito magra, tinha um sorriso tímido e um jeito desengonçado. Parecia desconfortável com aquela situação. Vollare esforçou sua memória para lembrar onde já havia cruzado com a tal — e pôs-se a reparar nos detalhes de sua roupa, em seu jeito de falar, no corte dos cabelos ondulados, no seu olhar envergonhado. E foi nos olhos que se lembrou: ela era a dona da pousada onde estavam hospedados. Dona Hélia tinha olheiras inconfundíveis, muito profundas, como se não dormisse havia alguns meses. Fez a rápida associação porque DK havia percebido o detalhe quando fizeram o *check-in* e tinha até soltado uma piada sobre.

— Ah, muito obrigada, senhor prefeito — agradeceu dona Hélia, gaguejando no microfone. — Confesso que nem sei se eu mereço esse troféu.

As pessoas que assistiam à homenagem vibravam, aplaudiam com entusiasmo e até gritavam seu nome. Pelo que via, Vollare constatou que ela era uma unanimidade entre a população e aquele prêmio deveria ser mais do que merecido.

O menino estava tão entretido com a celebração que nem percebeu quando DK se aproximou e lhe deu um abraço pelas costas.

— Feliz Ano-Novo, Vollarezinho!

Refeito do susto, achou graça da brincadeira do amigo e retribuiu os votos, dando-lhe um beijo no rosto.

— Feliz Ano-Novo, meu irmão!

Mina estava ao lado dele.

Vollare ficou paralisado ao vê-la.

A garota tinha ficado ainda mais bonita desde a última vez que se encontraram.

Então, sorriu timidamente para ela, que retribuiu com um abraço.

— Quanto tempo, hein, Vollare?

— Um ano!

— Quando a gente quer bem uma pessoa, um ano é muito tempo. Feliz Ano-Novo!

— Feliz Ano-Novo...

Os dois ficaram abraçados sob o olhar atento de DK. Sem que Mina visse, DK fazia gestos para amigo, querendo contar que o casal, enfim, havia se acertado. Vollare limitou-se a dar uma piscada, parabenizando-o pela conquista.

— E o Zapata? Você viu ele por aí? — perguntou DK, tentando desfazer o demorado enlace.

— Não... Ele foi até a pousada, mas não apareceu mais. Acho que vou até lá ver se ele está bem.

— É melhor mesmo! — concordou DK. — Às vezes o Zapata apronta umas que é bom a gente ficar de olho.

— E eu não sei? Mas fique tranquilo, eu vou procurá-lo.

— Então obedecerei prontamente seu pedido e ficarei muito tranquilo com essa gata — disse, puxando Mina pelas mãos.

— Seu bobo! — divertiu-se a garota, acenando para Vollare. — Tchau, amigo! A gente se vê amanhã! E feliz Ano-Novo!

UM ENCONTRO INUSITADO

— Parabéns pela homenagem, dona... — Vollare fez uma breve pausa para lembrar do nome da mulher. — ... Hélia, não?

Talvez o esquecimento tivesse sido proposital, para evitar um constrangimento maior naquele encontro inusitado. Vollare estava de volta à pousada para ver se achava Zapata. Ao cruzar a porta da entrada, se deparou com dona Hélia andando de quatro pelo chão como se procurasse algo.

— Obrigada, garoto! — disse ela, levantando-se. — Às vezes a gente precisa passar por cada uma, viu? Eu fico muito sem jeito com essas homenagens. Sabe, eu tinha um tio muito querido que vivia recebendo condecorações e coisas assim. A cada novo convite, ele bufava: "Lá vou eu sofrer mais uma homenagem". Eu me sinto assim... sofrendo uma homenagem!

Vollare ficou olhando a mulher, sem dizer nada. Mesmo conversando com ele, já de pé, seu olhar continuava procurando algo no chão. Ao perceber o silêncio dele, dona Hélia disparou a falar:

— Não é que eu não gostei do prêmio... longe disso! Achei uma coisa muito, mas muito bonita.

— A senhora está procurando algo? — perguntou ele, incomodado.

— Nada não, bobagem minha. Achei que tinha caído algo, meu brinco talvez — aí ela colocou a mão na orelha e constatou que o brilhante ainda estava pendurado. — Que loucura a minha! Está aqui!

Vollare achou aquela mulher muito esquisita.

— Mas me fale: o que deseja? Veio pedir bom ano?

— Não. Eu estou hospedado no quarto 17.

— Ah, sim! Lógico! — dona Hélia apertou os olhos tentando reconhecer Vollare. — Você é um dos dois meninos que estão no quarto triplo.

— Somos em três.

— Humm... acho que só vi dois de vocês até agora. Mas fico muito feliz de terem escolhido a nossa pousada.

— O prefeito falou muito bem daqui no discurso dele.

— Ele é muito gentil! Mas você deve estar querendo a chave!

— Não precisa! Já tem gente aí.

— Não, não. A chave do 17 está aqui na recepção. Não tem ninguém no apartamento — disse ela, entregando a chave.

— Estranho...

— O que é estranho? — perguntou, curiosa.

— Meu amigo disse que tinha vindo para cá. Achei que o encontraria aqui.

— E que menino da sua idade ficaria trancado em um quarto de pousada na noite do Réveillon? Ele deve ter ido se divertir. E, se eu fosse você, faria o mesmo. Quando tiver a minha idade vai ver como é bom aproveitar a vida, porque o tempo passa... Ah, aquelas coisas todas que velho fala.

— Imagine! — disse Vollare, pegando a chave do balcão. — Bom, obrigado pela recepção e parabéns mais uma vez pela homenagem.

— Você é um fofo! Disponha!

Vollare seguiu pelo corredor que levava ao quarto 17. Quando abriu a porta viu dona Hélia agachada outra vez, arrastando-se pelo chão.

UMA PERGUNTA NO AR

Ao entrar no quarto, a primeira coisa que Vollare viu foi o telefone de Zapata em cima da cama que o amigo dormiria.

— Nossa! Então o Zapata nem apareceu aqui para pegar o celular dele...

Vollare chegou a pensar que pudesse ter acontecido algo grave, mas logo tratou de tirar a preocupação de sua cabeça. Zapata devia ter encontrado alguém no meio do caminho — até mesmo DK — e estava na praia se divertindo. Como gostava de surfar, conhecia muitas pessoas da região e podia ter ficado com uma turma que tinha feito em um outro verão qualquer. Vollare sabia que aquela preocupação era normal, talvez fosse um instinto de proteção, pois Zapata era o mais novo dos três.

O menino suspirou fundo. Sentiu-se exausto. Olhou no relógio que já marcava quase uma e meia da manhã — o tempo tinha passado rápido. E aquele dia havia sido longo: viajaram quase quatro horas dentro de um ônibus até chegar à cidade litorânea.

O sol forte, as curvas sinuosas na serra e o trânsito peculiar daquela época do ano deixavam tudo ainda mais cansativo. Além disso, Vollare era mais do dia do que da noite. Chegava aquela hora, em um dia qualquer, já estava caindo de sono. Resolveu, então, ficar por lá para acordar bem cedo na manhã seguinte e para aproveitar a praia e o sol. O menino então tirou sua roupa branca, vestiu uma bermuda e foi se deitar. Logo Zapata e DK apareceriam por lá fazendo muita bagunça, imaginou.

Quando estava pegando no sono, ouviu um barulho que o fez despertar. Achou, por um instante, que era um dos amigos chegando. Alarme falso. Quando conseguiu relaxar mais uma vez, ouviu do lado de fora — sua cama ficava encostada na janela do quarto — alguém falando em inglês. Nada muito estranho, já que Vila dos Dois Ventos atraía visitantes do mundo inteiro naquela época do ano. A pessoa, porém, parecia nervosa e dizia:

— *Did you find anything? Did you find anything?*

Vollare entendia um pouco do idioma — fazia curso há alguns anos — e conseguiu traduzir a pergunta: "Você encontrou algo? Você encontrou algo?".

UM PRESENTE PARA MINA

Das pedras costeiras que ficavam na ponta da Praia do Guri era possível assistir ao nascer do sol mais bonito da região. Naquele período de verão, a imensa bola de fogo apontava atrás do mar por volta das sete e vinte da manhã — e permanecia vivíssima até sumir, do outro lado da praia, depois das oito da noite. Ver o primeiro nascer do sol daquelas rochas era uma tradição de muitos moradores da cidade, o que justificava o grande número de pessoas que dividia o espaço.

Mina adorava presenciar o espetáculo. Acabou convencendo DK — o que não foi muito difícil, lógico — de ficar com ela até o amanhecer. A garota estava se sentindo realmente feliz ao lado dele.

Quando o sol começou a subir lá no horizonte, um rapaz sentado bem na frente do casal puxou uma salva de palmas. A paisagem era realmente linda. Os aplausos foram contagiando cada uma das pessoas que ali estavam.

— Que lindo! Que lindo! — dizia DK de pé, saudando o sol.

— É demais mesmo — concordou Mina. — Mas acho que agora preciso ir. Meus pais sabem que eu gosto de ver o primeiro nascer do sol do ano, mas assim que ele surge no céu eu sei que é hora de voltar para casa. Eles devem estar me esperando.

— Eu te acompanho até lá.

— Não precisa, DK. Não tem perigo algum.

O menino sorriu, consentindo, e deu um beijo no rosto dela.

— Eu ainda vou provar o quanto gosto de você.

Mina reconheceu a insegurança que às vezes tomava conta do garoto.

— Para com essa bobagem. Não precisa provar nada. Já deu tudo certo!

Antes que ela fosse embora, abraçou DK e deu um último beijo nele. O menino olhou mais uma vez o estonteante sol, que refletia em alto-mar, agradeceu pelo novo ano e por ter Mina junto dele outra vez.

O garoto seguiu para a pousada lembrando de cada detalhe da incrível noite. Ele tinha certeza de que, enfim, havia conquistado Mina por definitivo. Não era a menina mais bonita de todas que já tinha conhecido, mas trazia algo de muito especial — e ele não conseguia explicar para si mesmo o que era. Seria a personalidade forte e doce ao mesmo tempo? A teimosia? Ou talvez a maneira que ria de suas graças?

Não importava. Ela era especial.

Ao chegar na porta da pousada, percebeu que estava fechada.

— Poxa, e agora?

DK deu uma volta no quarteirão para ver se existia alguma entrada paralela, mas nada encontrou. Apesar de a noite ter sido mágica — como ele definiria a quem perguntasse —, sentia o corpo moído, necessitando de uma cama.

Foi quando encarou o muro. Calculou se conseguiria pular para o lado de dentro. Era sua única alternativa.

Conferiu primeiro se não tinha alguém observando — afinal, se vissem a sua ação, podiam confundi-lo com um assaltante e chamar a polícia. Sem nenhum espectador aparente, começou as tentativas de pular o muro. Não foi tão simples assim, mas depois de alguns arranhões estava do lado de dentro da pousada.

DK seguiu pelo corredor que levava até o quarto 17. Ao chegar lá, encontrou a porta trancada — os amigos deviam ter esquecido que ele havia ficado na rua.

— Vollare? Zapata? Sou eu, o DK. Abram aqui!

Os chamados não surtiram efeito. DK não queria aumentar o tom de voz, temendo acordar outros hóspedes da pousada.

— Será que na recepção eu encontro uma chave reserva?

O garoto seguiu até a entrada, que estava sem ninguém. Dona Hélia também devia estar dormindo e não achou nenhum outro funcionário que pudesse ajudá-lo. Naquele primeiro dia do ano, depois de uma noite de festas, a ausência de algum responsável era até perdoada — ou já estavam descansando ou ainda estavam na folia.

DK começou a vasculhar os armários próximos ao balcão da recepção. Abriu portas, gavetas diversas. Encontrou uma caixa com as chaves dos apartamentos — que não eram as reservas, porque a do seu quarto não estava lá. Também mexeu em alguns documentos, pastas, folhetos de informações turísticas. Precisava tomar cuidado, ao menos, para não bagunçar as coisas.

Esgotado, o menino desabou no chão.

— Acho que vou dormir aqui mesmo!

Ao olhar para o lado, viu um pequeno sofá. Analisou um pouco o móvel e, mesmo com a certeza de que ficaria com as pernas para fora, achou que seria uma boa opção para o descanso — ainda que fosse uma horinha de sono apenas.

Ao dar o impulso com a mão para se levantar do chão, sentiu algo espetar seu dedo. Já de pé, olhou para baixo tentando buscar o pequeno objeto pontiagudo que quase havia lhe furado — seria bom tirá-lo de lá para que ninguém, descalço, machucasse o pé.

    Viu no piso de madeira, algo muito, mas muito brilhante. Ajoelhou-se e esticou os dedos até tocar o pequeno objeto. Com ele em mãos, identificou que era uma pedra — e parecia aquelas preciosas.

    — Que coisa linda!

    Nunca havia visto algo tão bonito. Era uma pedra que, de acordo com o ângulo, mudava de cor. Ora era azul, ora verde. Mas seja qual cor tivesse, brilhava muito.

    — Sorte de principiante! — disse, sorrindo com um ar vitorioso. — Aqui está o presente que prometi para Mina. Ela vai adorar essa pedra. Vai ser nosso elo.

    DK guardou-a em seu bolso, sem pensar duas vezes. Um bocejo fez com que ele se lembrasse que precisava descansar. Foi então se acomodar no sofá desconfortável.

O ESTRANHO NO SOFÁ

Eram quase oito e meia da manhã quando dona Hélia, ainda sonolenta e vestida com um penhoar roxo, foi até a recepção para ver se algum hóspede já havia acordado. Suas olheiras pareciam ainda mais profundas.

— Nossa Senhora! Perdi a hora... Já devia estar preparando o café da manhã do pessoal.

Ao ver um desconhecido deitado no sofá da entrada, a mulher deu um grito tão estridente, que fez DK saltar num estalo.

— Ai, me desculpe! — disse ela, recuperando o fôlego. — Você é o menino do 17, não é? Achei que era algum invasor. Também, acordar e ver um homem deitado na sua recepção!

— Fique tranquila. Sou eu sim! Cheguei agora de manhã e encontrei tudo fechado. Tive que pular o muro.

— Jura? — dona Hélia correu até a porta. — Eu esqueci de deixar o portão aberto? Que falha a minha! A noite de ontem foi uma confusão: Ano-Novo, aquela homenagem que me fizeram... só me atordoou.

— Como meus amigos já estavam no quarto, eu não tinha como entrar. Fiquei aqui, foi o jeito — explicou o garoto.

— Coitado! — exclamou Hélia. — E ficou todo torto aí. Também, que tamanho é esse, com essa idade! Tomou fermento? Nem parece adolescente — e ela riu, simpática. — Podia ter batido lá no meu quarto e ter pegado a chave reserva. Elas ficam lá comigo, é mais seguro.

— Não faria isso jamais! Atrapalhar o sono da senhora...

— Não precisa me chamar de senhora. Pode ser apenas Hélia! Vou lá buscar a chave reserva do seu quarto para você ir para a cama e poder relaxar mais tranquilo. Afinal, as férias estão apenas começando!

DK ficou observando a mulher ir até seu quarto. Gostou de como ela era atenciosa. Enquanto a esperava, lembrou-se da pedra que havia encontrado — por um momento, suspeitou que tudo não tivesse passado de um sonho. Mas não: ela estava lá no seu bolso.

— Pronto! Aqui está! — disse dona Hélia, entregando-lhe a chave.

ZAPATA NÃO ESTÁ

Vollare despertou assim que ouviu a porta do quarto abrir.

— Zapata, é você?

— Mas você só fica preocupado com seu amigo mais novo! — exclamou DK, fingindo certo ciúme.

Brincalhão, jogou-se em cima do amigo que estava deitado.

— Você não gosta de mim, é?

— Para com isso, DK! Como você é carente, hein? — disse Vollare, empurrando-o até cair no chão.

— Ué, não deveria? Eu chego da rua e você pergunta pelo seu outro amigo — disse, contrariado. — Não vai perguntar onde eu estava? O que eu estava fazendo?

— Não quero saber! — retrucou Vollare, cobrindo-se com o lençol novamente.

— Mas mesmo assim, faço questão de contar! — e DK voltou a se aproximar, cheio de entusiasmo. — Fiquei com a Mina a noite toda, meu irmão. Ela é linda demais. Posso te falar uma coisa?

— Não!

— Pois eu falo mesmo assim: eu acho que estou apaixonado! Nunca imaginei que essa frase ia sair da minha boca. E quer saber de mais uma, Vollare?

— Já disse que não! — retrucou o amigo. — Você não viu o Zapata durante a noite?

— Zapata? Por quê? Ele não chegou? — perguntou DK, vendo a cama onde o amigo mais novo dormiria vazia.

— Não apareceu. Não o vejo desde antes da meia-noite. Ele disse que viria na pousada pegar o celular que tinha esquecido. Mas quando cheguei para dormir, encontrei o telefone em cima da cama. Ou seja, aqui ele não passou. Você não o viu em nenhum lugar?

O pensamento de DK correu imediatamente para o momento em que Zapata o havia procurado, pedindo ajuda.

— Ele apareceu atrás da Igreja Matriz quando eu estava com Mina — lembrou.

— Ele sabia que você estaria lá. Eu que falei. Mas o que queria?

— O Zapata estava muito estranho, assustado. Ele me pedia ajuda, cara.

— E você? Não ajudou?

— Não... — DK respondeu, envergonhado.

Vollare saltou da cama, indignado.

— Como não, DK? Você é maluco? E se ele estivesse precisando de algo?

— Mas eu estava com a Mina, Vollare. Era um momento importante. E você sabe, né? O Zapata é cheio de carências...

O outro garoto começou a andar pelo quarto. DK observava as idas e vindas de Vollare.

— Vamos lá! Me conte: em qual estado o Zapata estava?

— Ele parecia desesperado. Mas achei que podia ser frescura dele, sei lá...

— Frescura? Você só com olhos para Mina, meu Deus! Deixou de ajudar um amigo em pânico. E agora ele está desaparecido!

— Não exagere! Vamos com calma, Vollare! Não precisa brigar. Eu sei que eu errei e me responsabilizo agora pela busca dele, caso não apareça em breve. Ele pode estar na rua ainda, com a galera. Eu mesmo acabei de chegar.

— Foi o que eu estava pensando. Mas agora, com essa informação de que ele foi te pedir ajuda, fico muito preocupado.

DK sabia que o caso podia ser grave. Recordando a cena, constatou que Zapata não devia estar de brincadeira. Estava se sentindo um tanto culpado por não ter ouvido o amigo. Então, decidiu agir.

— Vai para onde, DK? — perguntou Vollare, vendo o amigo indo para a porta do quarto.

— Vou revirar essa cidade. Ela é um ovo. O Zapata há de estar em algum lugar.

O APOIO DE DONA HÉLIA

Sem qualquer ânimo, Vollare brincava com dois pães de queijo e uma fatia de bolo de laranja que estavam no seu prato. De longe, dona Hélia observava a tristeza do jovem hóspede no salão do café da manhã. Atenta, sacou que algo estava errado e resolveu tentar uma aproximação.

— Não gostou do café? Quer que eu prepare alguma outra coisa?

O menino voltou seu olhar para a senhora, que sorria. De tão atenciosa que devia ser, estava sendo um pouco inconveniente para o momento. Querendo ficar sozinho, Vollare agradeceu com um gesto de negativo com a cabeça e continuou a mexer na comida com o garfo. Estava realmente preocupado com Zapata. Dona Hélia saiu de perto, deu um passeio entre as mesas do salão, conversou com outros hóspedes que chegavam para o café, mas não conseguiu deixar de prestar atenção no hóspede do 17. Pouco tempo depois, lá estava ela outra vez ao seu lado.

— Posso me sentar com você?

Sem saída, Vollare aceitou a companhia fazendo um sinal com a cabeça. Dona Hélia sentou-se na cadeira ao lado e tocou-lhe os ombros.

— Desculpe me meter, mas você parece triste. Está tudo bem?

— Não é nada.

— Você brigou com seu amigo porque ele chegou quando já tinha amanhecido?

Quando ouviu a pergunta, Vollare achou, por um momento, que ela poderia estar se referindo a Zapata — talvez ele tivesse chegado sem ninguém ver.

— Qual amigo?

— O que saiu correndo que nem louco agora há pouco — respondeu ela, falando sobre DK. — Sabe que eu encontrei ele deitado no sofá, todo encolhido? Morri de dó!

Vollare não estava mesmo para papo. Apenas respondia à falante mulher com sorrisos amarelos e sinais de negativo e positivo com a cabeça. Mas ela não se dava por vencida.

— Não aconteceu nada mesmo? — insistia.

Seria difícil escapar e não contar sobre o acontecido — até porque, mais cedo ou mais tarde, o desaparecimento de Zapata chegaria ao ouvido de todos na cidade.

— O nosso outro amigo, o Zapata, não apareceu

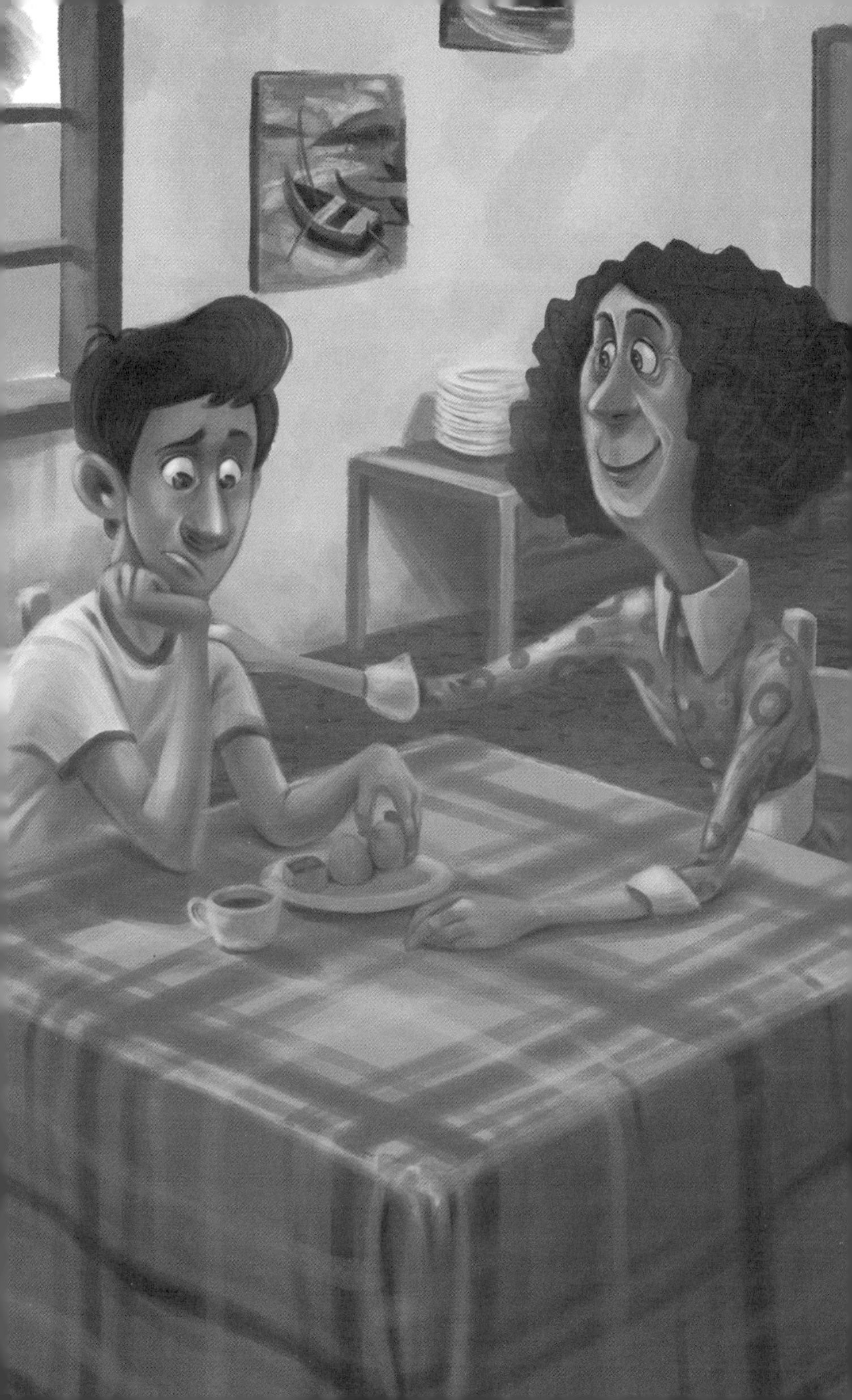

até agora. Estamos muito apreensivos com isso.

Ela deu uma risada, que soou como deboche.

— Não fique com essa carinha! Logo ele aparece. Imagine! Menino da idade de vocês, nessa praia linda, vai voltar para a pousada para quê? Hoje ainda é dia de festa! Fique calmo.

— Ele não é disso — argumentou Vollare.

— E se passou a ser bem hoje? Vai que é uma das mudanças de Ano-Novo...

O menino assentia apenas com o olhar. Dona Hélia era uma matraca.

— Tudo bem! Acho mesmo que têm o direito de ficarem preocupados. Vamos lá, como eu posso, então, ajudar vocês?

— Não sei mesmo. O DK foi para a cidade ver se encontra alguma pista.

— Eu vou para aqueles lados daqui a pouco também. Preciso comprar uns ingredientes no mercado para o café da manhã de amanhã. Vou ficar com os olhos atentos — vai que eu cruzo com ele. Como é esse...

— ... Zapata! — completou o menino.

— Isso! Acho que é o único que eu não conheço ainda. Mas me descreva ele, por favor.

— Eu diria que ele é o menino mais bonito dessa praia. Seus olhos são azuis e brilham muito. Sua pele é morena e seus cabelos são loiros, quase ruivos. E ele é um pouco mais baixo do que eu.

— Nossa! — exclamou a senhora ao fim da descrição. — Que exótico ele deve ser, hein?

Vollare não achou graça alguma. Não era hora para aquele tipo de comentário. Dona Hélia bem que percebeu a gafe e tentou reverter a situação.

— Desculpe o que falei. Algumas vezes sou bem-humorada demais. Mas olhe só: conte comigo para o que precisarem.

— Obrigado, dona Hélia! Você é muito boa mesmo, como todos disseram na noite de ontem.

— Não tem por que não ser. Nós encontraremos seu amigo. Confie em mim!

Vollare sorriu e se levantou da mesa.

Dona Hélia ficou observando ele.

O menino parou, ela seguiu até onde estava e lhe deu um abraço.

Mesmo atrapalhada, talvez tivesse mesmo um grande coração digno de homenagens. Foi o que ele pensou.

ALGUÉM VIU ZAPATA?

Quem visse DK correndo pelas ruas da Vila dos Dois Ventos naquela manhã do dia 1º de janeiro, certamente acharia que se tratava de algum maluco. Mas ele não estava nem aí para o que as pessoas pensavam. Precisava encontrar, ao menos, algum vestígio do amigo desaparecido. Pelos quatro cantos, berrava o nome dele.

— ZAPATA! ZAPATA! ZAPATA!

Quando não se tem por onde começar, qualquer informação é bem-vinda. Por isso mesmo todas as pessoas com quem cruzava eram alvos de seu questionamento: homens, mulheres, jovens, crianças; parou na barraca de sucos, na loja de artesanato, falou com o vendedor de chapéus — alguém deveria ter visto Zapata em algum canto.

— Ele é bem loiro, quase ruivo, tem os olhos azuis, azuis, azuis, assim grandes, vivos, pele morena, é um pouco mais alto que eu, costuma sorrir para todos, é meio fortinho, musculoso, ele surfa — e a cada esquina ele despejava as características do amigo, falando assim como quem não é capaz de pontuar uma frase sequer.

Os gestos de negativo com a cabeça aumentavam.

Ninguém que lhe desse uma indicação que fosse.

DK já pensava em diversas soluções: a primeira era comunicar à polícia, para que fosse feita uma busca oficial; depois, quem sabe, poderiam pregar cartazes por toda a orla; e se fosse preciso, anunciaria nas rádios da região. Mas, antes de qualquer coisa, precisava manter um pouco a calma — afinal, não fazia nem 24 horas que Zapata estava sumido.

Próximo ao cais, foi em direção ao deque. Observou os surfistas que pegavam onda, na esperança de ver Zapata entre eles — começar o ano no mar podia ser uma boa escolha do amigo.

Olhou um por um.

Ele não estava lá.

Queria que ele desse, ao menos, um sinal. Podia ser até o assovio que certa vez combinaram caso estivesse em perigo no mar.

Era assim: *Fiuuuuuuuu fiu fiu.*

Um "fiu" longo e outros dois curtos em seguida.

Era o sinal deles.

"Amigo, se estiver acontecendo alguma coisa com você, assovie para nós", pensou.

E só ouviu as ondas. Nada mais.

Para esfriar um pouco a cabeça, DK pulou na água.

Ficou ali, boiando, com sua técnica de flutuação, enchendo os pulmões.

Quando observava o céu azul, viu Mina se aproximar.

— Já acordou? — ela perguntou.

— Nem dormi.

— Eu também não. Na verdade, não consegui dormir. A noite foi intensa.

A menina sentou-se no deque, colocou os pés na água e, com a ponta dos dedos, tentou afundar o menino de brincadeira. Ele, evitando o afogamento, estendeu o braço e pegou a perna dela — que usou como apoio para subir no deque e se sentar ao seu lado.

Mina esperava um abraço ou um beijo de DK, mas não ganhou. Achou estranho. Será que havia ficado algo mal-resolvido da noite anterior?

O olhar do menino estava longe. Apesar de não querer pensar no pior, alguma coisa lhe dizia que o amigo estava em perigo.

— O Zapata não apareceu até agora.

— Jura?

— Juro! Eu devia ter ajudado ele ontem à noite. Fui um imbecil.

DK voltou a se jogar na água. Mina pulou atrás dele.

— Eu posso te ajudar. O que quer que eu faça?

— Não sei ainda. Vamos montar uma campanha, movimentar a cidade! Imagine contar aos pais dele que ele desapareceu? A gente prometeu que iria tomar cuidado. A gente tinha certeza de que essas seriam as férias mais emocionantes da nossa vida.

— Começou bem, não é? — ironizou ela. — Mas calma, você não sabe o que aconteceu com ele. Não pense no pior. Vem, vamos! Como dizem os detetives dos filmes de mistério, não podemos perder tempo!

Mina agilmente subiu outra vez no deque e estendeu a mão para DK, ajudando-o a subir também. Como ela mesma havia dito, sem perder tempo, seguiu rumo à cidade, como se fosse a líder das buscas.

DK ficou ali, só a observando. Sentiu um certo orgulho de tê-la como "quase namorada".

— Mina!

Ela parou onde estava e olhou para ele, que tinha um sorriso lindo no rosto e o oceano Atlântico ao fundo.

— Quero te dar um presente! — falou.

— Um presente?

DK começou a vasculhar os bolsos de sua bermuda. "Eu devia ter colocado no que tem zíper, senão...", pensou em voz alta, até que, em um suspiro de alívio, encontrou o que procurava.

— Eu não te prometi ontem que provaria como eu gosto de você?

— E eu disse que não precis...

O encantamento da garota ao ver a pedra que DK tinha na mão fez com que sua resposta ficasse suspensa no ar.

— Meu Deus! Que coisa mais linda, DK! — ela disse. — Posso pegar?

— É sua! — respondeu, animado com a reação dela.

— Que pedra linda! Como brilha! Que cor fascinante! Nunca vi uma igual.

— Nem eu. Por isso mesmo achei que devia ser sua, que também é única.

Mina, com a pedra na mão, quis saber:

— Onde você conseguiu isso?

— Encontrei na rua — mentiu ele. Se falasse para Mina que havia encontrado na pousada, ela podia pedir que devolvesse a pedra, pois deveria ter dono. Por isso, preferiu inventar uma história: — Estava voltando para a pousada e vi, em um canto da rua, algo brilhando muito forte. Fui ver o que era e achei essa maravilha!

— Não posso aceitar. Isso parece um diamante!

— Olha, não deve ser um diamante. Mas pode valer muito. Deve ser, sim, uma pedra preciosa. Fique com você, é meu presente. Por favor!

A garota pensou um pouco. Não resistiria àquele olhar apaixonado.

— Está bem! — respondeu ela, guardando a joia na bolsa. — Talvez eu transforme ela em um pingente. Tem uma loja de pedras aqui na Vila que eu acho que faz isso. Fica lá na rua do porto, próximo ao restaurante Boa Vista. É meu caminho para casa. Vou passar lá.

— Agora eu preciso continuar com as buscas, meu amor — disse DK, despedindo-se dela. — A gente se vê mais tarde.

— Eu vou procurar a Nara. Ela pode ter alguma pista do Zapata — lembrou Mina.

— Como pude me esquecer da Nara? É lógico! O Zapata deve ter ido atrás dela: afinal, é fissurado naquela garota.

— É isso mesmo.

— Qualquer notícia me avise!

— Pode deixar!

EM BUSCA DE ALGUMA PISTA

Vollare não gostava de mexer nas coisas que não fossem suas sem a prévia autorização do dono — mesmo que o dono fosse um de seus amigos mais próximos, como Zapata e DK. Mas aquela situação exigia tal atitude.

— Eu vou ter que revirar as coisas do Zapata. De repente eu encontro alguma pista...

O menino despejou na cama tudo o que estava dentro da mochila de Zapata. Percebeu ali que teriam um grande problema nas buscas: a carteira com os documentos do amigo havia ficado no quarto. Se tivesse acontecido algo de mais grave com Zapata, ele seria dado como indigente.

Vollare mexeu em tudo, na esperança de encontrar algo que pudesse nortear a procura. Além da identidade, a carteira trazia uma pequena quantia de dinheiro, dada pelo pai do garoto para as despesas da viagem. Fora isso, uma passagem de ônibus e uma imagem de São Sebastião, o santo protetor dos navegantes, de quem era devoto. Sem grandes resultados, partiu para outro ponto.

Tirou da mala todas as roupas de Zapata: camisetas, regatas, sungas e bermudas coloridas. Nada que fosse suspeito. No guarda-roupa encontrou o aparelho de ouvir música enrolado com o fone de ouvido — o que descartava a hipótese de roubo do objeto. Em cima do móvel, bem protegida com uma capa, estava a prancha preferida do amigo. Ele estava louco para colocá-la na água.

Vollare encarou o celular de Zapata na mesinha do quarto. Será que existiria alguma mensagem que pudesse revelar algo? Não teve receio: fuçou em tudo, mas só encontrou duas mensagens de texto enviadas pelo pai do amigo. A primeira perguntava se eles haviam chegado bem na Vila dos Dois Ventos. E uma segunda com votos de feliz Ano-Novo.

— E aí, respondo ou não? — perguntou Vollare para si mesmo.

Naquele instante, DK abriu a porta do quarto afoito.

— Nenhuma pista, Vollare. Rodei a cidade, perguntei para o maior número de pessoas que encontrei. Ninguém viu ele!

Antes de qualquer coisa, Vollare mostrou o celular de Zapata para DK.

— Duas mensagens do tio. Respondo ou não respondo?

— Responde — afirmou, sem qualquer dúvida. — Fala que está tudo bem.

— DK, a gente não vai conseguir escapar dessa! Vamos nos dar mal, cara. Uma hora ou outra o tio vai telefonar, vai querer falar com o Zapata. E aí, o que vamos dizer?

— Eu já pensei nisso, Vollare. Vai ser difícil contornar a situação, mas a gente vai enrolando nossos pais. Vamos falar para o tio que ele nunca dá sorte, que sempre o Zapata está ocupado. Ou surfando. Ou no banho. Ou com a Nara. Não sei, não sei! E vamos nos mantendo firme, sem demonstrar que algo está errado. Precisamos resolver esse caso o mais urgente o possível.

Enquanto respondia as mensagens, Vollare pensava em voz alta:

— Não é melhor falarmos com a polícia?

— Polícia? Vocês falaram com a polícia? Foi isso que escutei? — disse dona Hélia, entrando no quarto. — Desculpe a intromissão, mas a porta estava aberta e eu ouvi a conversa.

Apesar de amável, DK não gostou nada da invasão da dona da pousada.

— Vocês não acham precipitado envolver a polícia nessa história, meninos? — ela perguntou.

DK olhava para Vollare, sem entender como Hélia sabia sobre o desaparecimento.

— Eu comentei com ela hoje no café — contou Vollare.

Dona Hélia percebeu o incômodo de DK.

— Não fique assim, garoto. Por que essa desconfiança? Só quero ajudar vocês a encontrar seu amigo. Farei de tudo para isso. Conheço todos aqui na comunidade. Podem contar comigo — ela falou, avançando dentro do quarto e sentando-se na cama. — Só acho que não seja o caso de envolver a polícia. Eles têm muito serviço nessa época do ano. No verão, os índices de assalto aumentam por causa do número de turistas que invadem essas praias. Eu já falei para seu amigo — dirigiu-se ela a DK —, tenho certeza de que o Zapata vai aparecer a qualquer momento. Escute o que eu estou te falando!

A LENDA DO GURI

DK já achava que estava mais do que na hora de entrar em contato com a polícia para avisar sobre o desaparecimento de Zapata. Afinal, já haviam se passado dois dias do sumiço e absolutamente nenhuma pista havia surgido. Ao contrário do discurso de dona Hélia, estava mais do que certo que a ajuda da guarda local era de extrema importância. Ainda não tinha ido até a delegacia a pedido de Vollare, que se sensibilizou com o apelo da dona da pousada. Só que DK, àquela altura, já achava que não podiam mais ficar ouvindo conselhos — mesmo que fossem da mulher mais bondosa da cidade.

Foi por isso que, naquela manhã, o menino acordou decidido: sem comunicar a Vollare, saiu da pousada rumo à delegacia que ficava na avenida da praia.

No caminho, porém, passou em frente da Igreja Matriz. Achou que seria bacana parar por lá, nem que fosse para fazer uma oração rápida — não só para pedir proteção e ajuda nos próximos passos daquela procura, mas também para saber se Zapata não havia aparecido no local. Pensou naquela hipótese pois a última vez que tinha visto o amigo tinha sido atrás da igreja histórica e, no estado de desespero que estava, bem que poderia ter pedido socorro a alguém da paróquia.

A Igreja Matriz, a principal da pequena cidade de Vila dos Dois Ventos, era uma das construções mais antigas da região e fazia parte do centro histórico local. Estava situada bem na larga alameda que ligava a pousada que os meninos estavam hospedados até as ardentes areias da Praia do Guri. Erguida no ano de 1712, conforme informava a placa turística pendurada em sua porta, tinha estilo neoclássico, duas torres mal-acabadas e uma única cruz bem no topo.

DK entrou pela imensa porta verde de madeira e avançou para dentro por um corredor que levava até o altar. Diante dele, algumas imagens de santos — que também se espalhavam pelas paredes laterais, em pequenos altares. O altar principal era todo trabalhado em ouro, o que impressionava os visitantes. Estranhamente, a igreja estava vazia naquele horário. Ninguém havia chegado para a missa da manhã, realizada todos os dias.

O menino seguiu pelo corredor principal e ajoelhou-se em frente à imagem de Nossa Senhora dos Remédios, que era a padroeira da cidade.

— Peço aqui, antes de qualquer coisa, que proteja meu amigo Zapata onde quer que esteja! E que ele volte logo para nós!

O adolescente, que rezava baixinho e solitário, chamou a atenção do padre que saía da sacristia. Era um senhor baixo, com poucos cabelos no topo da cabeça e os que lhe restavam do lado já se esbranquiçavam. Tinha um óculos na ponta do nariz e vestia uma batina branca, bem longa, que o cobria até os pés.

— Eu fico tão contente quando vejo jovens entrando aqui na casa de Deus.

A oração de DK foi interrompida pela fala do padre. O menino, então, levantou e foi até ele.

— É sempre bom, né, padre? Pena que, muitas vezes, a gente só lembra de conversar com o cara lá de cima quando estamos precisando de ajuda.

O padre não pôde deixar de rir da resposta espontânea do garoto.

— Mas só de lembrar já é muito importante — falou.

DK sorriu, pediu licença ao padre, fez o sinal da cruz e foi saindo da igreja para seguir até a delegacia. Antes que atravessasse a porta, ouviu uma pergunta.

— Desculpe a intromissão, menino, mas eu posso ajudá-lo em algo?

O garoto virou-se para o padre e se lembrou de que ele poderia ter cruzado com Zapata na noite da virada.

— Talvez sim, padre — respondeu, retornando até onde o padre estava, no centro da igreja.

— Muito prazer! Meu nome é Aron. Sou pároco dessa região há mais de quarenta anos. Minha função é ajudar quem precisa. E me surpreendeu ouvi-lo dizer que estava com alguma dificuldade. Por isso o interesse. Talvez possa contribuir com algo.

— Ah, obrigado.

— Você é morador daqui da Vila?

— Não, não sou. Moro na capital, mas venho passar as férias aqui já faz alguns anos. É quase uma segunda casa.

— Que maravilha! Nós gostamos muito dos turistas — respondeu alegremente. — Mas me diga: o que está acontecendo?

— Um amigo meu desapareceu na noite do Ano-Novo. Faz quase três dias que não temos nenhum sinal dele. A última vez que o vi foi aqui bem atrás da igreja!

O padre fechou a cara. DK estranhou a reação dele.

— Atrás da igreja? Deve ser um daqueles moleques! — esbravejou o sacerdote. — Desculpa! Mas é que alguns garotos usam os fundos da minha igreja para namorar durante a noite. Aí fica uma barulheira enorme. Você acredita nisso?

Só restava, naquela situação, DK disfarçar — ele sabia bem de quem o padre estava falando.

— Jura? Que pecado! — o garoto se limitou a falar.

— Um dia ainda pego esses pestes! — prometeu o padre.

DK voltou ao assunto do desaparecimento o mais rápido que conseguiu.

— Então, como eu ia falando, esse meu amigo está desaparecido desde a virada do ano e...

Enquanto o menino ia contando sobre o caso, padre Aron virou-se de costas e foi andando em silêncio até o altar. Estava pensativo.

— Um menino desaparecido?

Achando que dali poderia sair algum indício, DK correu até ele.

— Isso mesmo! Está sabendo de algo, padre? Algum garoto foi encontrado?

Sem responder às perguntas, o padre andou para o outro lado do corredor. DK estava aflito — talvez soubesse mesmo de algo.

— Será que aquela tragédia está se repetindo tantos anos depois?

O menino ouviu o que o padre tinha dito.

— Do que o senhor está falando?

— Você nunca ouviu falar no Guri?

— Guri? Quem é Guri?

O padre não respondeu outra vez. Andou lentamente para o outro lado do corredor sem nada falar.

DK se sentia cada vez mais agoniado com aquele vai e vem.

— Eu não gosto nem de lembrar — repetia o padre Aron, em voz baixa, para si mesmo.

DK jamais seria mal-educado com um padre, mas se pudesse pediria para ele desembuchar logo e contar sobre esse tal de Guri. O menino tentava, singelamente, arrancar alguma informação.

— Quem é esse Guri?

— Parece que foi ontem — disse o padre, outra vez sem responder a pergunta. — Toda essa cidade desesperada. O Guri era um menino tão querido por todos...

Com os olhos arregalados, DK não aguentava aquelas pausas dramáticas que o padre dava em suas falas. Estava ficando impaciente.

— Mas o que aconteceu com ele?

— Sumiu! — respondeu. — Desapareceu em um verão como esse, há quarenta anos. Igualzinho está acontecendo com seu amigo...

O padre caminhou até o altar e olhou para a padroeira. DK esperava para saber o que, afinal, tinha acontecido com Guri. Mas ouviu a única coisa que não queria.

— Mas o rapaz nunca mais apareceu!

O corpo do jovem gelou da cabeça aos pés. Temeu que a história se repetisse: "Imagine se Zapata nunca mais aparece?".

O menino precisava urgentemente saber mais detalhes do tal caso do Guri, mas o padre preferia ficar zanzando de um lado para o outro, sussurrando algumas lembranças. "É questão de vida ou morte", pensou DK. Sem mais tempo a perder, pegou o padre Aron pelos ombros, impedindo suas andanças, e olhou fixamente em seus olhos.

— Por favor, padre Aron, me conte toda essa história do desaparecimento do Guri — suplicou o menino.

O padre arregalou os olhos, virou-se para a esquerda, depois para a direita, e aproximou-se do ouvido de DK:

— Shiu! Não fale esse nome assim tão alto! As pessoas aqui não gostam de lembrar sobre o desaparecimento do Guri! Tanto que ele até virou lenda — bradou o padre, seguindo para a sacristia. — Me acompanhe que eu te conto tudo.

Pouco depois DK estava sentado de frente para padre Aron em uma mesa da sacristia, ansioso pelo que ouviria.

— Antes de mais nada, esqueci de perguntar: qual é seu nome, menino?

— DK.

— Como?

— Pode me chamar assim. É meu apelido. Odeio meu nome.

— Ah, sim.

O garoto sentia que o padre estava tentando adiar ou até fugir da conversa. Talvez ele tivesse falado demais, só que agora não teria volta. DK estava pronto para começar um extenso interrogatório.

— Afinal, quem é esse Guri?

— Era um menino lindo que morava aqui na Vila dos Dois Ventos. Era um querido, amigo de todos, fanfarrão, namorador, apaixonado pela natureza. Eu me lembro de como ele adorava surfar...

— Meu amigo que sumiu também adora surfar — pontuou DK.

— Que coincidência, não? Mas como eu te disse, essa história do Guri já deve estar completando quarenta anos. Me recordo muito bem daquele verão. Aconteceu do mesmo jeito que você me contou sobre o seu amigo: do dia para noite o Guri se escafedeu. Nunca mais foi visto. Quando a família se deu conta do sumiço, movimentaram céu e terra pelas buscas. Até o governador foi acionado para mandar tropas das cidades vizinhas para cá.

— E não encontraram nada?

— Na-di-nha — respondeu o padre, exatamente assim, separando as sílabas. — Nunca se teve uma pista sobre onde ele poderia estar. Nenhum sinal, nenhum corpo. Um mistério que assolou a vida dos moradores daqui. Todos ficaram muito abalados. O Guri era querido demais.

— E essas buscas duraram quanto tempo?

— Um ano, talvez. Eu já era responsável aqui pela igreja. Encontrava dia e noite pessoas fazendo promessas, rezando pelo menino. Mas tudo foi em vão. Depois de dois ou três anos, todos foram se conformando, aceitando o fato que Guri nunca mais voltaria — e concluiu em um suspiro: — e ele nunca mais voltou mesmo.

Mesmo que o padre desse por encerrada a conversa, uma coisa tinha ficado na cabeça de DK, que resolveu perguntar sem medo:

— E por que esse assunto se tornou tão proibido?

O padre, que já contava aquela história quase cochichando, abaixou ainda mais seu tom de voz.

— As pessoas amavam demais ele! Tanto que chegaram a apelidar a praia que mais frequentava com seu nome...

— É verdade... — disse DK, fazendo pela primeira vez aquela associação. — A Praia do Guri...

— Pois é... aquela praia se chama, na verdade, Baía da Saudade, mas hoje em dia ninguém mais se lembra disso. Teve uma época que até surgiu um boato de que fariam uma estátua lá próximo ao cais em homenagem ao rapaz. Mas depois que a lenda começou a rondar por aí, eles desistiram...

— Lenda? Que lenda é essa?

Bem que o padre queria, mas não conseguia falar ainda mais baixo. Então, se levantou e foi se sentar ao lado do garoto.

— Dizem por aí que em noites de lua cheia é possível ver o Guri nadando em alto-mar, bem onde a luz da lua reflete na água — revelou. — Mas como ele era muito querido, se tornou uma espécie de santo. Falam por aí que quem consegue vê-lo no mar pode fazer um pedido para ser realizado. Se você vasculhar a vida das pessoas nessa cidade, vai conhecer muita gente que jura de pés juntos que já teve pedido atendido pelo Guri. Teve uma mulher que veio aqui na igreja e sugeriu que ele se tornasse o santo padroeiro da cidade. Mas eu não posso fazer isso, não posso canonizar ninguém! Onde já se viu?

— E o senhor acha que pode acontecer o mesmo com meu amigo, Zapata? Ele pode nunca mais aparecer como o Guri?

— Isso eu não sei te dizer, GH!

— DK!

— Ah, sim. DK!

Aquelas informações eram suficientes para continuar a busca. DK seguiria direto para a delegacia, mas ficaria de ouvidos atentos para qualquer coisa que fosse relacionada a esse desaparecimento de tantos anos atrás.

— Muito obrigado, padre. A sua bênção! — disse o menino, apressado.

— Sua bênção, nada! Eu quero que o senhor me jure que não vai contar para ninguém isso tudo.

Àquela altura, padre Aron já falava sozinho.

AVISANDO A POLÍCIA

Por todo o trajeto até a delegacia, DK não parava de pensar na maluca história do desaparecimento de Guri. Sim, ele achava maluca a ideia de que, tantos anos antes, tivesse acontecido um fato tão parecido com o que estavam vivendo naquelas férias.

Assim que entrou no posto policial, localizado na avenida da praia, pediu para falar com o delegado com urgência. Um rapazote que estava como plantonista, sem dar muita atenção à solicitação do adolescente, pediu que esperasse sentado — avisou que o chefe estava cuidando de algumas ocorrências e que quando pudesse o atenderia. DK preferiu ficar por lá para não ter que voltar mais tarde. Então, se acomodou numa cadeira dura na salinha de espera.

Enquanto folheava uma revista de celebridades que estava perdida por ali, acabou sendo atraído pela conversa de dois policiais. Entre os casos que comentavam — afogamentos, furtos, brigas de trânsito — um especificamente chamou a sua atenção. Os policiais riam muito.

— Não é à toa que o apelido dele é Tantan — dizia um deles, divertindo-se. — Muito biruta aquele sujeito!

— Aquele pescador é uma figura! Ficou imóvel na minha frente, com aquele corpo franzino e os olhos esbugalhados. Dizia com todas as letras: era o Guri! — contava o parceiro. — Estava apavorado!

Era muita sorte do menino cruzar novamente com algo sobre o Guri. Ficou à espreita, ouvindo cada detalhe daquele papo.

— Ele jurava que tinha visto o fantasma do Guri na noite de Réveillon! — continuou.

— Que maluquice! Mas ele contou detalhes desse aparecimento repentino do nosso fantasma mais famoso?

O outro quase chorava de tanto rir.

— Disse que estava pulando as sete ondas sozinho na ponta da praia, quando a assombração saiu do mar, todo de branco.

— E ele?

— Deu no pé! Onde já se viu encontrar fantasmas?

— Queria ter visto a cara daquele Tantan!

Naquele instante, uma porta se abriu e surgiu um homem bem alto, fardado, com uma identificação no peito: Hércules — delegado. Ele se dirigiu ao menino que o estava aguardando. Os dois policiais, temendo uma represália por conversarem tão animadamente, fecharam o bico e cumprimentaram seriamente o superior.

— Você que queria falar comigo, jovem? — perguntou o delegado, estendendo a mão para DK. — Muito prazer, delegado Hércules, a seu dispor!

— Oi, delegado... muito prazer! — respondeu o menino, levantando-se.

— Mil desculpas pela demora. É que são tantos casos nesses primeiros dias de férias... É só chegarem os turistas que aumentam os assaltos imediatamente.

— É... a dona Hélia comentou mesmo... — lembrou.

— Dona Hélia? — se interessou o delegado. — Você conhece ela?

— Estou hospedado na sua pousada.

— Ela é uma pessoa muito boa! Vive trazendo comida para a gente nos dias de plantão. Vê se pode! Ô senhora generosa!

— Sim, eu percebi.

— Mas me fale: em que posso ajudar?

— Eu tenho um amigo desaparecido desde a noite do Réveillon. Já completaram 48 horas e não tenho nenhuma pista.

DK passou para o delegado Hércules todas as informações sobre o caso. O delegado prometeu que recrutaria seus homens e começaria as buscas o quanto antes. Apenas pediu ao garoto uma foto de Zapata para ajudar nos trabalhos.

DK prometeu que levaria, no máximo, até a manhã seguinte.

SERIA UMA PRIMEIRA PISTA?

A delegacia dava de frente para o lindo mar da Vila dos Dois Ventos. O sol estava forte naquela manhã. Os termômetros marcavam quase quarenta graus e as areias já estavam lotadas. DK, ao sair de lá, viu Mina passar apressada pelo calçadão. Sem pensar duas vezes, correu até ela.

Ao alcançá-la, viu que estava indo se encontrar com Vollare, que a esperava sentado em um banco de concreto. Não gostou nada daquela cena.

— Posso saber qual o motivo dessa reunião? — perguntou DK, irônico, surpreendendo os dois, que não esperavam vê-lo por ali.

Mina conhecia muito bem aquele jeito de DK falar.

— Que é isso, DK? Estava te procurando. Como não te encontrei, chamei o Vollare porque precisava contar uma coisa.

— Pois pode contar para nós dois — pediu.

Ali próximo, na praia, Nara passava segurando uma cadeira e um guarda-sol. Mina viu a amiga e, certa de que seria melhor ela mesma contar o que sabia sobre Zapata, pediu um instante aos garotos.

— Onde você estava, DK? — quis saber Vollare.

— Fui na delegacia! — respondeu ele, sentando-se no banco também. — Não quero mais perder tempo!

— Por que você não me chamou para ir junto?

— Eu quis ir sozinho.

Vollare sabia muito bem a razão do jeito seco do amigo: ciúmes. Vollare achava o amigo muito infantil em certos momentos e aquela atitude não iria ajudar em nada a situação que estavam vivendo. A sorte é que o constrangimento foi quebrado com a volta de Mina, trazendo Nara pelas mãos.

— Meninos, eu quero que a própria Nara conte para vocês o que ela me falou ontem à noite.

Nara era amiga de Mina e, ao contrário de todos, era moradora da cidade e não turista. Ela era muito simpática, adorava festas, badalações, gostava de conhecer turistas, fazer novos amigos nas temporadas. Mas quando o assunto eram os garotos, não dava bola para qualquer um. Zapata que o diga. Encantado por Nara, vivia levando fora dela. Ninguém entendia o motivo de tanto desprezo, afinal, o garoto era considerado por muitas um dos mais queridos que já haviam aparecido na Praia do Guri nos últimos anos. Quantas meninas se interessavam por Zapata, queriam chamar

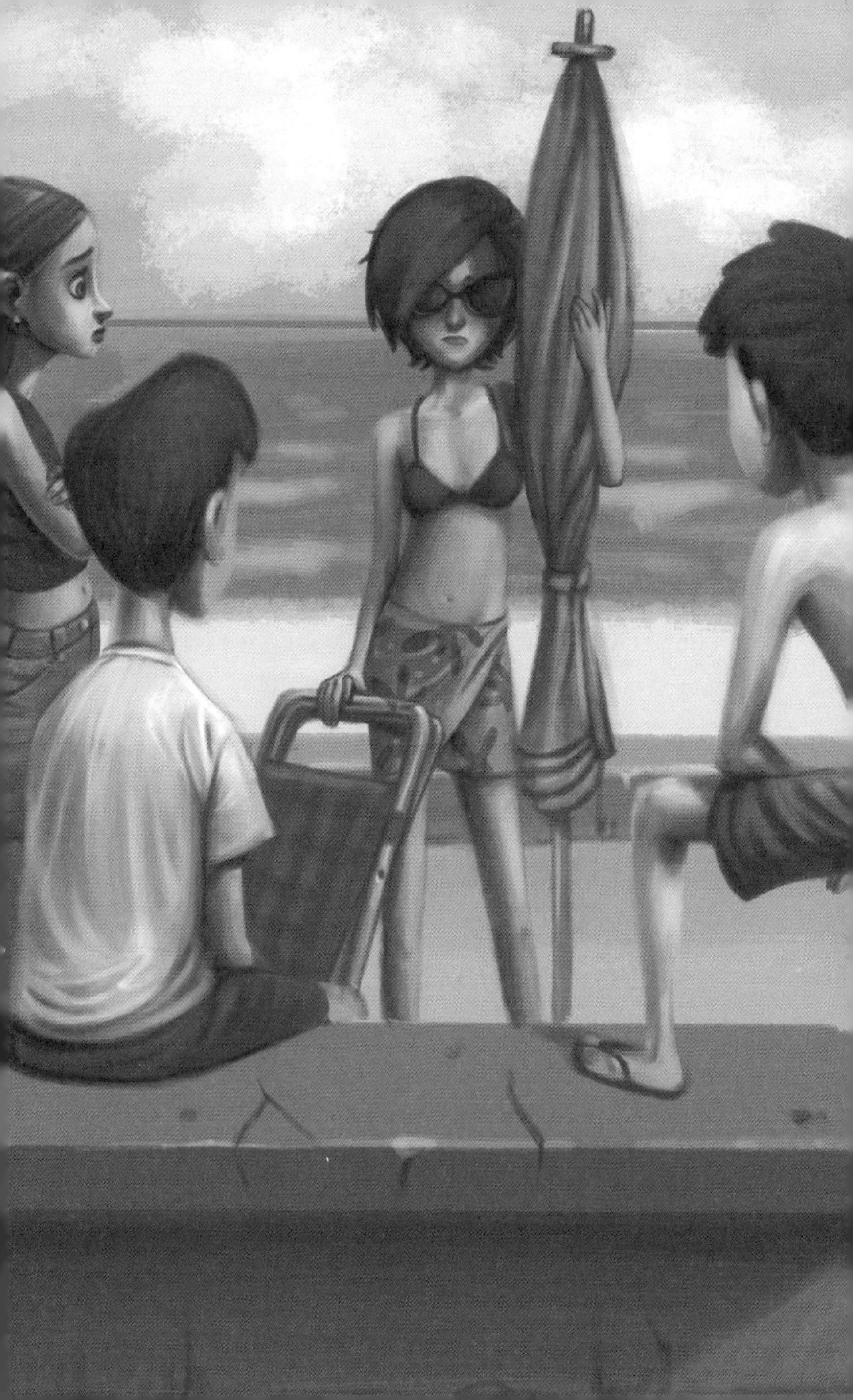

sua atenção, pediam aulas de surfe, mas ele só tinha olhos para Nara.

Apesar do pedido da amiga, Nara ficou quieta. Os meninos esperavam, ao menos, alguma pista no caso do desaparecimento.

— Conte logo para eles, Nara! — insistiu Mina.

Ela tirou os óculos escuros e os dois puderam ver seus olhos inchados, como se tivesse chorado litros.

— Nossa, o que houve? — perguntou Vollare, assustado.

— Ela está assim desde que eu contei que o Zapata tinha desaparecido — explicou Mina.

— Você se arrependeu de tantos foras que deu nele? — provocou DK, recebendo uma cotovelada do amigo que estava ao seu lado.

— Não brinque com isso, DK! — repreendeu Mina.
— Vai Nara, fala!

Então, a garota, com uma voz trêmula, começou a contar o que sabia:

— Eu vi o Zapata na noite do Ano-Novo, logo depois dos fogos. Ele estava lá próximo da ponta da praia — revelou. — Ele me procurou, parecia bastante assustado. Queria ajuda...

— Do mesmo jeito que ele estava quando o vimos! — lembrou DK.

— Mas e aí, o que você fez? — quis saber Vollare.

— Eu não queria falar com ele. O Zapata vivia atrás de mim, querendo me namorar. Estava cansada. Aí eu pedi...

Antes de completar a frase, ela caiu no choro. Soluçava sem parar.

— Calma, Nara! Respira fundo — aconselhava a amiga.

— Só falta ela não conseguir contar o resto da história — chiou DK. — O que você pediu a ele?

A menina tentou engolir seu pranto, se controlar. Seu queixo tremia. Algumas pessoas que passavam pelo calçadão chegaram a perguntar se estava tudo bem.

Nara, então, respirou fundo e disse de uma vez:

— ... eu pedi para ele desaparecer para sempre!

DK e Vollare ficaram boquiabertos. Olharam um para o outro, pensando na possibilidade de Zapata ter obedecido aquela ordem.

Enquanto Nara voltava a cair no choro, Mina quis saber:

— Você acha que isso faz sentido? Ele ter ido mesmo embora por causa dela?

— Acho que não... — pensou Vollare em voz alta. — Suspeito que o sumiço do Zapata não tenha sido intencional.

— Até porque, eu acho que a Nara não vale esse esforço todo... — ironizou DK.

Mina condenou a fala do garoto com um olhar fulminante e confortou a amiga com um abraço.

DK olhou para o mar e pensou um pouco. Vollare ficou observando o amigo.

— Nara... — chamou DK, querendo mudar de assunto.

A menina enxugou as lágrimas e deu atenção a ele, que perguntou:

— Você nasceu na Vila e passou a vida inteira aqui, não é?

Ela confirmou com a cabeça.

— Você, por acaso, já ouviu falar na história do Guri?

— História de quem? — estranhou Vollare.

DK esperava ansioso pela resposta. Ela demorou para puxar algo em sua memória.

— É aquele menino que desapareceu também?

— Exato! — confirmou o garoto.

— Que menino é esse, gente? Outro desaparecido nessa praia? — desesperou-se Mina.

Ignorando o pedido de sigilo, DK repetiu aos amigos toda a história que padre Aron tinha lhe contado. Ainda complementou o caso lembrando da conversa dos policiais que ouviu na delegacia.

— Tem gente que diz que vê ele, mesmo! — confirmou Nara. — Mas essa história é muito nebulosa.

Eu só conheço pedaços dela.

— Eu percebi isso na fala do padre — completou DK, que se levantou e começou a andar de um lado para o outro, como os detetives quando ficam tentando conectar fatos em suas investigações.

No melhor estilo Sherlock Holmes, escolheu seu Watson:

— Você acredita que o desaparecimento do Zapata e desse tal de Guri tenham alguma ligação, caro Vollare?

Vollare pensou um pouco antes de responder:

— A princípio, com os dados que temos, acho pouco provável. Mas é de se chamar atenção dois casos tão parecidos acontecerem no mesmo lugar, mesmo com tanto tempo de diferença.

— O problema é que o Guri nunca mais apareceu — lembrou Nara. — E se isso acontecer com o Zapata?

Ao se dar conta disso, a menina voltou a cair em prantos.

CONVERSA DE AMIGO

Já era tarde da noite e DK e Vollare estavam no quarto que ocupavam na pousada. Os dias vinham sendo cansativos e preocupantes. Cada um deitado em sua cama e suas cabeças borbulhavam de ideias no escuro. Notava-se a respiração pesada dos dois, que denunciava a ansiedade deles.

DK, de repente, acendeu seu abajur.

— O que foi? — perguntou Vollare.

— Eu estava aqui pensando...

— No quê?

— Quando o Zapata voltar, bem que a Nara devia dar uns beijos nele.

Vollare se divertiu com aquele comentário inesperado do amigo.

— Também acho!

Os dois riram um pouco, mas logo voltaram ao silêncio. DK apagou a luz novamente. Minutos depois, foi a vez de Vollare acender o abajur do seu lado.

— O que foi? — perguntou DK.

— Posso te fazer uma pergunta?
— Lógico!
— Onde você conseguiu aquela pedra que deu para a Mina?

DK acendeu a luz do seu abajur e sentou-se na cama.

— Onde você viu a pedra?
— Ela me mostrou.
— Onde vocês se encontraram?
— Para com isso, cara. Eu só quis saber. Desculpa.

Vollare virou-se para o outro lado e apagou seu abajur.

— Eu que peço desculpas, Vollare — falou DK, respondendo em seguida a pergunta do amigo. — Eu encontrei na rua.

— Que rua?
— Mentira... — confessou.
— Eu sabia!
— Encontrei aqui na pousada no dia 1º de manhã. Quando eu cheguei e pulei o muro.

Vollare acendeu a luz do seu lado e também se sentou na cama.

— Você é maluco? E se for de algum hóspede? Aquela pedra deve ser valiosíssima!

— Eu imaginei mesmo. Mas eu achei no chão, o que posso fazer? — argumentou o outro.

— Cara, você me promete uma coisa? Se a gente souber que alguém perdeu uma pedra como aquela, vamos pedi-la de volta para Mina e devolver ao dono.

DK ficou em silêncio por um instante.

— Tudo bem... combinado! — consentiu.

Vollare sorriu para o amigo, selando o trato. Os dois, então, apagaram suas respectivas luzes e se aprontaram para dormir.

Sem acender seu abajur, DK chamou Vollare mais uma vez.

— Vollare?

— O que foi agora?

— Posso te fazer uma pergunta?

— Fala!

— Estava pensando nesse lance dos casais. Eu e a Mina, o Zapata e a Nara. Mas eu nunca vejo você com ninguém, meu amigo. Está sempre tão sozinho... O que acontece?

Vollare ficou em silêncio. DK percebeu que não teria resposta alguma.

— Boa noite, cara! Até amanhã!

UMA NOTÍCIA NADA AGRADÁVEL

— Revirei todas as coisas do Zapata e só encontrei essa.

Vollare estendia para DK uma pequena foto três por quatro do amigo sumido.

— Acho que é de um ano atrás, mais ou menos, mas o Zapata não mudou muito — explicou.

DK pegou a fotografia e olhou com atenção.

— É, acho que serve. Ele cresceu um pouco, ficou mais musculoso, mas o rosto é o mesmo. Assim que eu terminar de comer, vou direto para a delegacia entregar ao delegado Hércules, como prometi.

Vollare sentou-se à mesa com DK, que tinha acordado muito cedo naquela manhã. Estava ansioso pois naquele dia a polícia começaria efetivamente as buscas por Zapata.

— Você tem conferido o celular dele? Nada de novo? — perguntou DK.

— Nada. Ando com ele no meu bolso dia e noite — respondeu Vollare. — Ontem o pai dele telefonou.

— E aí?

— Eu disse que estava tudo bem. Que o Zapata já estava dormindo, que tinha ficado o dia inteiro no mar, surfando. Aí chegou na pousada e capotou. Ah, foi a única coisa que veio na minha cabeça.

— Você acha que ele desconfiou de algo?

— Sinceramente? Não. Ele riu e disse: "Vocês devem estar aprontando muito nessas férias sem nós!". Pediu juízo mas disse para nos divertirmos. Foi por pouco, DK — falou Vollare, suspirando fundo.

Em seguida, o menino se levantou com um pequeno prato na mão e seguiu até o *buffet* para se servir do café da manhã. No caminho, um homem alto segurava uma xícara com café até a borda. Distraído, o sujeito esbarrou no menino, derramando todo o líquido preto em sua roupa.

— *Oh, my God! Sorry!*

DK viu a pequena confusão que se formava ali adiante. Achou engraçado o estrangeiro tentando se comunicar com Vollare. Era um cara grande, de ombros largos, com olhos verdes, muito expressivos. Tinha uma barba rala, estava vestido todo de branco — um paletó e uma calça de linho — e tinha um chapéu estilo panamá na cabeça.

Com seu inglês nível intermediário, Vollare disse que não tinha problema e que estava tudo bem. Sem graça, o homem voltou para a mesa que ocupava, mas não tirou os olhos dos dois.

— Cara estranho, hein, Vollare? — disse DK.

— Pois é. E agora ele não para de olhar pra gente.

— Não fui com a cara dele.

— Esquece isso, DK. Você vive não indo com a cara de um monte de gente! Foi acidente, sem querer, eu já me limpei — falou Vollare. — Vamos fingir que não estamos nem aí.

Vollare tomou um gole de suco de laranja e comeu um pedaço de pão de forma.

— Deve ter sido esse cara que eu ouvi brigando na noite do Ano-Novo... — lembrou.

— Ah, é?

— Quando cheguei na pousada, ouvi alguém falando em inglês. Parecia muito, muito irritado.

DK voltou a contemplar a foto de Zapata. Estava com saudades do amigo. O que será que teria acontecido? Onde teria ido parar?

O estrangeiro levantou-se da mesa e seguiu em direção aos garotos. Tomando agora um café, Vollare acompanhou o homem com os olhos. Ao passar por eles, o sujeito viu a foto que estava nas mãos de DK.

— *Beautiful boy...*

Vollare quase engasgou com a intromissão repentina do inglês, que apenas sorriu e seguiu pelo corredor.

— O que ele disse? — perguntou DK, que nunca foi muito bom com as línguas estrangeiras

— "Belo garoto..." — traduziu Vollare para o amigo.

— Que cara maluco! — constatou o outro garoto, levantando-se da mesa. — Bom, vou cumprir meu combinado e entregar a foto para o delegado. Nos encontramos mais tarde lá na praia, bem em frente ao quiosque do Elton.

— Fechado! Boa sorte, meu irmão! — respondeu Vollare, também encerrando sua refeição.

— Acho que você não vai mais precisar levar essa foto para a polícia, menino!

Os dois ouviram a voz de dona Hélia vindo de trás deles. A mulher estava com uma cara fúnebre — usava um grande chapéu de praia e também óculos escuros, que cobriam suas olheiras. Nas mãos, algumas sacolas de compras.

Vollare e DK ficaram paralisados, esperando que ela continuasse. Por que não precisariam mais levar as fotos?

Dona Hélia tirou o chapéu, os óculos e se aproximou deles.

— Eu juro para vocês que não queria dar essa notícia.

As pernas dos dois cambalearam.

Coisa boa não era.

Dona Hélia deixou as sacolas no chão e pediu que se sentassem. Pegou uma mão de cada menino e apertou forte.

— Eu fui fazer compras lá na cidade e vi uma movimentação na praia. A polícia, alguns curiosos... DK esqueceu o jeito durão e começou a derramar lágrimas antes que ela concluísse.

— Eu tive que ir ver o que estava acontecendo. Alguns pescadores encontraram no mar pedaços da prancha do amigo de vocês. Estava estraçalhada! Vollare parecia mais resistente. Estava imóvel.

— Como sabem que é a prancha do Zapata? — perguntou.

— É uma vermelha e branca, com um Z bem grande na parte de cima e uma inscrição "Eu sou do mar" na parte de baixo.

— Sim — confirmou DK, sem conter a emoção. — Foi ele mesmo quem escreveu a frase!

O menino abaixou a cabeça na mesa e colocou-a entre seus braços. Soluçava sem parar. Dona Hélia acariciou seus cabelos, na tentativa de confortá-lo. Vollare olhava fixo para a mulher, sem acreditar no que havia acabado de ouvir.

— Bom, parece que, infelizmente, aconteceu o que não queríamos. Mas assim é a vida. A polícia vai continuar buscando o corpo, que ainda não foi encontrado — completou dona Hélia, tentando também dar um conforto para Vollare, passando a mão em sua cabeça. — Contem comigo para o que precisarem.

Dona Hélia levantou-se da mesa, pegou as sacolas no chão e seguiu para a cozinha da pousada.

Os meninos permaneceram sentados, em choque, digerindo a terrível notícia.

MUITA CALMA NESSA HORA

DK entrou como um furacão no quarto à procura dos documentos de Zapata. Os dois eram os responsáveis pelo amigo naquela viagem, então tinham que tomar todas as providências necessárias diante daquela tragédia que tinha acontecido. Ele não conseguia acreditar. Seu coração estava aos pedaços.

Vollare, por sua vez, mantinha-se frio. DK achou que podia ser por causa do choque, talvez a ficha dele ainda não tivesse caído — mas, mesmo assim, tratou de manifestar seu desconforto.

— Por que essa frieza, cara? Parece que não sentiu nada com a notícia que a dona Hélia nos deu.

Vollare, que estava parado na porta do quarto 17, observando o desespero de DK, avançou em silêncio pelo cômodo, até parar na frente do guarda-roupa. Em seguida subiu na cama e foi averiguar a parte de cima do móvel. DK não estava entendendo onde ele queria chegar.

— Isso é muito estranho... — suspirou Vollare.

— O que é estranho? Me fala!

— No dia primeiro, quando o Zapata desapareceu, eu vim até o nosso quarto e vasculhei todas as coisas dele, tentando achar uma pista.

— E?

— E a prancha dele estava aqui em cima do guarda-roupa. Fechada com o protetor, inclusive. Do jeito que o Zapata deixou. E agora ela não está mais aqui.

DK ficou sem reação com aquela informação.

— Você tem certeza?

— Absoluta, DK! — disse, descendo da cama. — Das duas, uma: ou o Zapata voltou aqui, sem a nossa presença, pegou a prancha e aí realmente pode ter acontecido algo de grave.

— Ou...

— Ou alguém entrou no nosso quarto e pegou a prancha numa tentativa de plantar uma pista falsa — constatou Vollare.

UMA PRANCHA AOS PEDAÇOS

Vollare correu para a praia o mais rápido que pôde para conferir de perto a história da prancha encontrada no mar. Só acreditaria vendo. Poderia reconhecê-la facilmente, já que se tratava de quase uma quarta integrante daquele grupo, tamanha a paixão de Zapata por ela — era o D'Artagnan daqueles três mosqueteiros.

Ao pisar na areia quente da praia do Guri, encontrou três policiais retirando os pedaços do mar. Ficou de lado, observando a operação deles. No momento oportuno, faria as perguntas que martelavam a sua cabeça.

— O que você acha? — perguntou um dos policiais ao colega.

— Acho melhor levar para a perícia. Lá eles conseguirão analisar o objeto e chegar a uma conclusão.

Os homens manejavam os pedaços da prancha, que parecia ter sofrido um grande baque. Vollare estranhava o estado que ela havia ficado, afinal, pelo seu conhecimento, aquele era um modelo bastante resistente — Zapata gostava de exibir a prancha que usava para pegar as ondas mais fortes.

Vollare analisou o mar. Estava calmo, quase sem nenhuma onda. Pelo que ele se lembrava, igual aos últimos dias. Realmente as peças não estavam se encaixando: para a prancha ter ficado partida aos montes, o mar deveria estar violento, revolto. E, pelo que conhecia do amigo, ele jamais encararia as ondas se houvesse algum perigo.

Considerando o sumiço da prancha do quarto deles — ele tinha certeza absoluta de que estava lá em cima do guarda-roupa, dentro da capa — e a estranha maneira como foi encontrada, Vollare começava a suspeitar que aquele desaparecimento de Zapata escondia alguns mistérios que começavam vir à tona. Algo muito sério estava por trás daquele caso — aquela prancha era a primeira pista falsa que alguém plantava para complicar as investigações.

— Trabalho há muito tempo aqui na costa. Quantos casos não vi como esse! — falou um dos policiais.
— Esses meninos saem em alto-mar e não lembram que, muitas vezes, a natureza é traiçoeira. Aí acontecem essas tragédias.

— O que você acha que aconteceu? — perguntou o outro.

— Pelas características do objeto encontrado, o

surfista deve ter batido com muita força nas pedras. Olha só isso! Ficou em pedaços! — disse, mostrando o que estava em suas mãos. — Ou o surfista foi jogado longe e está no meio das pedras costeiras ou aconteceu o pior: morreu afogado.

Mesmo sabendo que aquela situação terrível muito provavelmente era fruto de armação, Vollare se arrepiava só de pensar que Zapata pudesse ter sofrido um grave acidente. Foi naquele instante que o menino decidiu entrar na conversa.

— Quando essa prancha foi encontrada?

Os policiais se surpreenderam com o jovem curioso. Em vez de responderem, o alvejaram com diversas perguntas.

— Você conhece algum surfista que está desaparecido?

— Reconhece a prancha?

— Ele tinha costume de surfar perto das pedras?

— Ele gostava de se arriscar?

Vollare retrucou na mesma moeda: também não respondeu às questões e colocou outra pergunta na roda.

— Quando vão começar as buscas?

— Pelo corpo? — disse o policial, que guardava as últimas partes da prancha em um grande saco.

O menino não queria falar sobre o "tal corpo" —

sentia uma má impressão, já que tinha certeza de que não havia corpo algum. Mas não podia levantar suspeitas.

— Isso! Do corpo... — respondeu.

— Não sei. Precisamos averiguar as nossas prioridades — afirmou o policial. — Mas, geralmente, em casos como esse, o corpo nem aparece.

Vollare acabou se lembrando de Guri. "Será que ele era um desses casos a que o policial se referia? Imagine, quarenta anos e nenhuma pista", ele pensou, "nem verdadeira, nem falsa".

UM ESTRANHO COMPORTAMENTO

DK observava todos os detalhes do céu azul que cobria seu corpo.

As poucas nuvens que se movimentavam da esquerda para direita.

Algumas gaivotas que cruzavam em bando.

Um avião teco-teco que puxava uma faixa anunciando uma marca de protetor solar.

Imagens se costuravam com pensamentos que bombardeavam sua mente. Apesar de tudo o que estava acontecendo, queria relaxar um pouco para continuar a desvendar aquele mistério. Porque, mais do que nunca, o desaparecimento de Zapata estava se tornando um caso que os grandes detetives gostam. Quando poderia imaginar que aquelas férias seriam tão intensas?

Boiando nas tranquilas águas da Baía da Saudade, ele se recordava de cada momento daqueles dias turbulentos, desde a noite em que o amigo sumiu.

Uma culpa ainda pesava em seu peito: a de não ter ajudado Zapata quando o procurou na noite do

Ano-Novo. Mas como poderia imaginar que algo tão terrível iria acontecer?

Orgulhoso, DK tentava transformar a culpa em força e responsabilidade: faria de tudo, iria até o infinito, para reencontrá-lo. Era uma questão de honra.

Mais aliviado, deixou que Mina avançasse em suas ideias. A cada dia que passava, se sentia mais apaixonado pela menina, mesmo sabendo que ela poderia se afastar a qualquer momento.

— Mulheres, mulheres... — disse, em voz baixa.

Um vento soprou mais forte, trazendo outras perguntas. Era um turbilhão de informações. Se Vollare tivesse mesmo razão em relação ao roubo da prancha, quem poderia ter feito isso? DK imaginava que só podia ser uma pessoa que tivesse acesso à pousada. Imediatamente veio a imagem do estrangeiro que encrencou com Vollare no café da manhã. Achou o tipo muito esquisito — isso sem falar no comentário que fez ao ver a foto três por quatro de Zapata. Que motivo teria ele de falar sobre o menino, sem que ninguém lhe pedisse opinião?

— Ok! Talvez possamos ter esse cara como suspeito. Mas o que ele teria feito? Sequestrado Zapata? Por qual motivo? Porque até agora ninguém pediu resgate...

As questões que DK levantava sozinho eram pertinentes. Mas, mesmo que ainda não tivessem resposta, iria falar com Vollare para ficarem de olho naquele sujeito.

DK, então, estufou o peito, jogou a cabeça para trás, mergulhou na água e levantou-se rapidamente para voltar à realidade.

— Pensar tanto não leva a nada! É preciso agir — falou para si mesmo.

Foi só aí que se deu conta de como a corrente marítima o tinha arrastado para próximo das pedras, bem no canto da praia — de onde se podia ver o melhor pôr do sol da região.

Foi nadando até as rochas para sair do mar. Mas, ao se aproximar, pôde reconhecer a senhora que tentava se equilibrar naqueles pedregulhos pontiagudos: dona Hélia. Temendo cair na água, seus pés longos e finos sofriam com o solo irregular. DK percebeu que ela xingava alguns nomes em voz baixa. Mas o que o menino estranhou foi que, em vez dela estar andando em direção à praia, seguia o rumo contrário, em direção às rochas maiores e também mais perigosas — as que davam para uma parte mais profunda do oceano, onde as ondas batiam com mais força. Todos conheciam os limites de segurança do local, e quem avançasse pelas pedras naquele sentido poderia demorar a voltar — ainda mais no caso da maré subir.

Como ela era relativamente novata na cidade, DK achou prudente avisá-la do perigo que corria.

— Dona Hélia?

A mulher tomou um susto ao ouvir seu nome e, ao virar-se para atender ao chamado, se desequilibrou e caiu no mar. Imediatamente, DK nadou até a senhora, que se debatia na água, e a ajudou a se segurar nas pedras.

— Viu o que você fez? — disse ela, em tom raivoso e respiração ofegante.

DK estranhou o comportamento dela, pois nunca a tinha visto assim, tão furiosa. Mas logo em seguida ela se recompôs.

— Ai, acidentes acontecem. Não foi nada...

— É que é perigoso ir para aqueles lados, dona Hélia. Só quis te avisar.

— Ah, muito obrigada, querido! Me disseram que o pôr do sol é tão lindo visto lá da frente — ela respondeu, apontando a direção para onde estava caminhando.

DK achou meio maluca a resposta dela.

— Mas estamos quase na hora do almoço! O sol costuma se pôr, nesse horário de verão, só lá pelas oito da noite — comentou.

A dona da pousada baixou os olhos, como quem não sabe o que responder. Habilmente, fingiu-se de sonsa e mudou de assunto.

— Hora do almoço! Bem lembrado! Preciso correr então, não é? Não posso deixar meus hóspedes famintos!

Dona Hélia se levantou e seguiu em direção à areia. DK ficou rindo sozinho, pensando como tinha gente esquisita no mundo.

— Cuidado quando for para aqueles lados, hein, dona Hélia! Se não sou eu para te ajudar, quem te pega é o Guri! — falou o garoto, se divertindo ao mencionar a lenda que percorre o local.

A senhora parou onde estava e ficou imóvel por alguns segundos. DK, que ainda estava sentado na pedra, percebeu. Achou que tinha falado algo errado. Talvez o padre Aron tivesse razão: o desaparecimento do Guri tinha traumatizado todo mundo.

O olhar de dona Hélia fuzilava o garoto. Suas olheiras pareciam ter aumentado. A senhora voltou até ele, se agachou ao seu lado e apertou seu braço, assustando-o.

— Repete o que você disse!

DK ficou sem palavras. Engoliu em seco. Não sabia se podia tocar outra vez naquele assunto.

— Onde você ouviu falar sobre o Guri? Me fala!

Dona Hélia não parecia estar para brincadeiras. DK tentou se soltar, mas a mão dela o segurava cada vez mais forte. Achou que seria melhor contar o que sabia.

— F-f-foi o pa-pa-padre A-a-a-aron que me falou sobre essa lenda. Eu não sabia que era tão proibida — respondeu gaguejando.

— Que lenda, menino? Do que você está falando?

DK percebeu que dona Hélia nunca tinha ouvido falar sobre a lenda que percorria a cidade. Mas se não conhecia, por que aquela atitude? O menino reproduziu todos os detalhes que o padre havia lhe contado.

Dona Hélia ouvia a história concentrada, com os olhos fixos nos dele, com os dentes cerrados, respirando vagarosamente. Em alguns momentos, o apertava ainda mais, como se tivesse raiva do que ele dizia.

Quando terminou, a mulher ficou em silêncio.

DK não sabia se saía correndo, se pulava no mar, se ia para as pedras.

Ficaram se olhando por um ou dois minutos, até que ela abaixou a cabeça, colocou as mãos no rosto e voltou a olhar para ele, agora com outra expressão: mais tranquila, com seu sorriso terno de sempre.

— Acho que preciso ir. A gente se vê na pousada, não?

A PEDRA DA DISCÓRDIA

O jeito estranho de dona Hélia fez com que DK tivesse certeza: seria preciso investigá-la também. Ainda se restabelecendo do choque, o menino viu a dona se afastar pela areia, cruzar com alguns banhistas e seguir pelo calçadão da avenida principal. Sem muito pensar, decidiu acompanhá-la escondido — não queria ser percebido por conta da imprevisibilidade da mulher.

Durante todo o trajeto, dona Hélia era alvo do olhar de quem com ela cruzava. Estava toda encharcada e seu vestido estampado trazia alguns rasgos e manchas, o que gerava curiosidade nas pessoas. Ninguém, porém, chegou a pará-la no caminho, oferecendo ajuda. Ela, ignorando a situação, cumprimentava um ou outro conhecido, esbanjando sua habitual simpatia.

Na perseguição, algumas teorias passaram pela cabeça de DK: Seria ela uma farsante? Ou teria dupla personalidade? Bipolaridade, talvez?

As explicações para aquele comportamento dúbio podiam ser várias. Seja qual fosse a razão, era preciso ficar atento. Naquelas férias, qualquer acontecimento estranho podia levar a uma pista do caso que investigavam.

O menino só desviou sua atenção quando viu uma cena que o deixou desconcertado: Mina e Vollare abraçados em uma mesa de um quiosque à beira-mar. Sem conter o ciúmes, DK esqueceu dona Hélia e andou a passos firmes até o casal, querendo marcar território:

— Posso saber o que está acontecendo aqui? — perguntou, separando o abraço prolongado do amigo na menina.

Mina não conseguiu conter sua indignação em relação à atitude de DK. Levantou defendendo-se e apontou o dedo na cara dele.

— Eu não admito isso, DK! — retrucou a garota. — Essa suspeita de morte de um amigo! Eu estava dando uma força para o Vollare! Você não tem sentimentos mesmo!

O rosto de DK fechou. Vollare olhava amedrontado.

— O Zapata não morreu! Ele sabe muito bem disso!

O tom de voz elevado do garoto chamou a atenção de algumas pessoas que estavam ali perto. A discussão entre os dois estava prestes a estourar. Vollare preferiu não colocar lenha naquela fogueira, afinal, se tomasse algum partido, a situação poderia se agravar. Deixou que DK e Mina se resolvessem.

Por sorte, Nara, que estava ali próxima na porta da loja de artesanatos do pai, percebeu a confusão e correu até o local.

— Podem parar com isso já! — ordenou.

Quando se deram conta, uma roda de curiosos já tinha se formado em torno deles. O tumulto fez com que dona Hélia voltasse para conferir o que estava acontecendo. Ao identificar que eram os dois jovens que estavam na sua pousada, viu-se no direito de interferir.

— Que feio isso, gente! — disse ela, tentando colocar panos quentes. — Brigando na frente de todo mundo. Vocês são amigos e...

— Não se meta, dona Hélia! — bradou DK, na maior grosseria e sem paciência.

Uma das pessoas que acompanhavam a cena não gostou do jeito que o menino falou com a dona da pousada.

— Onde já se viu isso, garoto? Ser mal-educado com a dona Hélia!

— Deixa, querida! Os jovens de hoje são assim mesmo... — respondeu a senhora de maneira irônica, encarando os olhos raivosos do menino.

Dona Hélia, então, se colocou entre DK e Mina e afastou os dois. O menino só conseguia lembrar da versão maluca daquela mulher, que tinha acabado de conhecer lá nas pedras. "Você não me engana mais!", pensava.

Com um olhar cínico, a senhora disse para DK se controlar e virou de frente para Mina para aconselhá-la a ir embora e deixar o namorado — ela usou essa palavra mesmo — se acalmar.

— Você tem razão, dona Hélia — disse a garota, de cabeça baixa.

Quando Mina voltou a olhar para dona Hélia para retribuir o carinho com um sorriso, percebeu que a mulher mirava fixamente o seu pescoço.

O semblante terno, cheio de compaixão, deu lugar a um aspecto frio — sua boca se retorcia, sua mandíbula se retraía, seus olhos se apertavam, como se algo doesse dentro dela.

— Onde você conseguiu isso? — dona Hélia perguntou.

Mina demorou a entender sobre o que ela estava falando. Precisou tatear seu pescoço no exato ponto onde o olhar de dona Hélia se dirigia para perceber que se referia à pedra reluzente que DK havia lhe dado e que agora usava como um pingente pendurado em uma corrente.

Não foi difícil DK perceber que a face oculta de dona Hélia tinha se revelado outra vez.

— Eu encontrei essa pedra na rua, dona Hélia —

afirmou. — E dei a ela como prova do meu amor.

Sem ao menos se dar o trabalho de virar-se para o garoto, disse:

— Mentira.

— Por que é mentira, dona Hélia? Essa pedra é sua?

DK sabia que podia mesmo ser, afinal havia encontrado a joia no chão da recepção da pousada. E caso realmente fosse dela, seria mais do que justo devolver — era o que, inclusive, tinha combinado com Vollare. Mas antes de entregar os pontos, DK queria testar a mulher.

Sem responder a pergunta, dona Hélia arrancou o colar do pescoço de Mina com violência.

— Essa pedra precisa ficar comigo!

As reações dos curiosos foram as mais diversas. Ninguém esperava uma atitude como aquela, ainda mais vindo de uma "santa" como aquela senhora. Nunca tinham visto a mulher mais querida da cidade naquele estado.

Vollare que, até aquele instante permanecia sentado na cadeira, levantou-se e, num golpe ágil, conseguiu tirar o colar das mãos da mulher.

— Não senhora! Esse pingente é da Mina. Melhor que fique com ela — disse, mantendo a cordialidade.

A cena foi atraindo a atenção de mais e mais pessoas, que ainda estavam desacreditadas com o comportamento de dona Hélia. Ao perceber que havia se tornado o centro das atenções, ela, imediatamente, mudou sua postura — assim, da água para o vinho.

— Eu espero que vocês fiquem em paz, meninos. Brigar não faz bem!

"Eu sabia que isso iria acontecer", pensou DK. "Ela é mais perigosa do que eu imaginava".

A dona da pousada virou as costas para a multidão, colocou seu chapéu e saiu entre as pessoas, indiferente. Aos poucos os bisbilhoteiros foram se dispersando.

Vollare, Mina e Nara ficaram sem entender o que tinha acontecido.

DK sentou-se em uma das cadeiras e falou, em tom sabichão:

— Eu vou falar do que estou suspeitando...

Antes que ele pudesse discorrer sobre qualquer teoria, Mina bradou, muito séria:

— Eu não vou te falar sobre suspeitas, DK, mas sobre certezas — desabafou. — Está tudo acabado entre nós! Me esqueça!

DK não esperava ouvir aquilo. Ficou sem fala, surpreso com a decisão de Mina, que saiu andando, seguida por Nara. Antes que pudesse tentar argumentar algo com a garota, ainda ouviu:

— E pode ficar com essa maldita pedra!

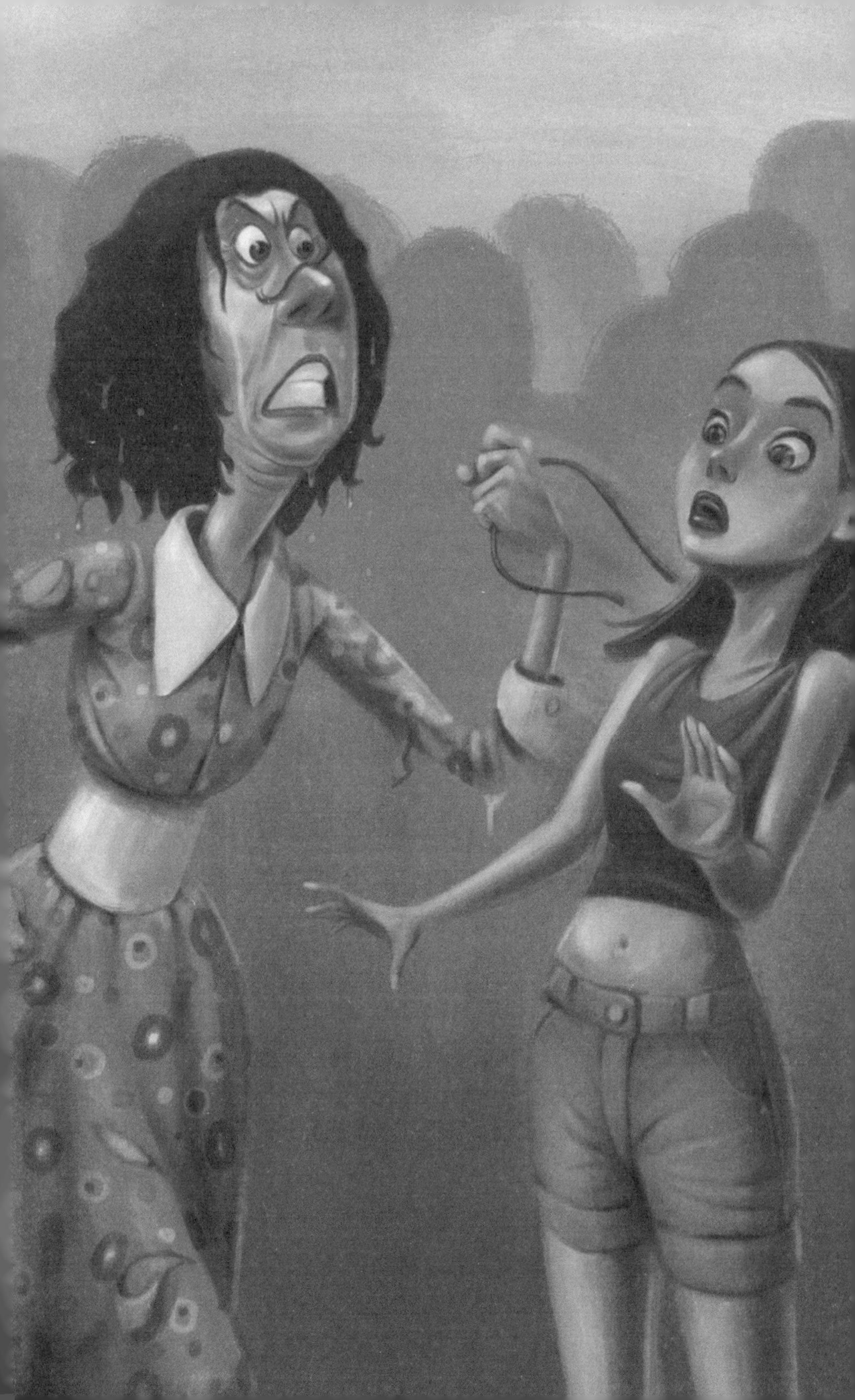

Sentado ao lado de DK, Vollare abriu a mão e viu que a pedra não tinha se abalado nem um pouco com a confusão que tinha causado.

Estava brilhando, mais bonita do que nunca.

OS SEGREDOS DE UMA PEDRA PRECIOSA

Vollare segurava a pedra brilhante com a ponta dos dedos na altura dos seus olhos.

— Por que você causou tanto incômodo àquela mulher? — perguntava.

DK, que estava tomando banho, saiu do banheiro listando os estranhos fatos que tinham ocorrido nos últimos dias:

— O desaparecimento do Zapata, o roubo da prancha, uma pedra perdida que gera um tumulto, uma dona de pousada com dupla personalidade...

— A princípio não consigo fazer as conexões entre todos esses episódios — confessou Vollare, entregando a pedra ao amigo.

— Depois que dona Hélia me agarrou com força lá nas rochas só porque falei da lenda do Guri e eu vi com meus próprios olhos aquela mulher bondosa se transformar em um monstro, eu não duvido de mais nada. Para mim, tudo é possível.

— Isso sem falar no estrangeiro misterioso que

está hospedado aqui — lembrou o outro.

DK estendeu a mão e a pedra ficou dançando em sua palma. Com o movimento, ela brilhava mais e mais. Em seguida, fechou a mão, levou-a ao peito, deitou-se na cama e suspirou profundamente. Não precisava dizer nada, Vollare bem sabia: o amigo estava se lembrando de Mina. Ele achava que o DK lhe devia, ao menos, um pedido de desculpas por conta da cena que tinha feito. Mas também sabia que isso não aconteceria: era orgulhoso demais para dar o braço a torcer. Era melhor que as coisas seguissem como estavam, sem nenhum clima ruim entre os dois — o momento não era propício para isso.

Vollare, então, começou a pensar qual deveria ser o próximo passo daquela investigação. Fazia círculos no mesmo lugar.

— Fala! O que está pensando? — disse DK, quase ficando zonzo com as idas e vindas do companheiro.

— Algo me diz que precisamos descobrir o que está por trás dessa pedra. O que significa, se vale muito... A reação da dona Hélia não me sai da cabeça.

Os dois ficaram uns minutos quietos, tentando pensar como fariam aquilo. Na busca de uma resposta, DK lembrou que Mina havia comentado sobre um especialista em pedras preciosas que morava na Vila dos Dois Ventos.

— E como vamos encontrar essa pessoa? — perguntou Vollare.

— Vamos perguntar para a Mina, lógico! — respondeu.

Vollare respirou fundo. Precisava lembrar o amigo de que, talvez, a garota nem quisesse olhar para a cara dele por um bom tempo. Antes de entrar no assunto, sugeriu outro caminho: falar com Nara, que morava na cidade. Ela devia saber de quem se tratava e poderia ajudar os dois a chegarem até o sujeito.

Imediatamente pegou o celular de Zapata do bolso, onde encontraria o número da menina. Assim que localizou, mandou uma mensagem perguntando sobre o tal.

Pouco depois, Nara respondeu informando seu nome e também como e onde poderiam encontrá-lo.

— Senhor Fisher! Esse é o sujeito de que precisamos! — entusiasmou-se Vollare.

SENHOR FISHER, UM TESOURO E UM SÓSIA

Era muito cedo quando DK e Vollare chegaram na porta do casarão do senhor Fisher. A casa ficava isolada no alto de uma montanha. Para chegar lá, os meninos pegaram um ônibus que os levou de um ponto da Praia do Guri até uma estradinha deserta que dava acesso a uma cidade vizinha. Desceram e ainda tiveram que enfrentar uma subida muito íngreme, trajeto que fizeram a pé, para alcançarem o topo do morro.

Não tinha como errar. Na região onde Nara havia indicado a moradia do homem, só existia uma única casa. Na verdade, era uma mansão. Toda de madeira, podia-se contar apenas na fachada oito janelas — o que indicava que vários cômodos se espalhavam pelo lado de dentro. Vollare percebeu que em todas existiam cortinas, mas nenhuma delas estava aberta. Bem que tinham ouvido falar que o velho pesquisador de pedras preciosas andava muito recluso e triste. O que parecia, aos olhos dos garotos, era que há muito tempo ninguém aparecia por lá.

Foram quase vinte minutos entre o toque na campainha e alguém atender a porta. Acharam até que a viagem seria perdida. Quando estavam quase desistindo, perceberam a maçaneta se mexer.

A porta se abriu devagar e um rosto surgiu por uma fresta.

— Ah, são vocês — constatou a pessoa, que parecia ser uma mulher.

Talvez fosse ela quem tinha atendido ao telefonema que fizeram e que havia informado que senhor Fisher estava disposto a recebê-los. Apesar de envolto em mistérios, o homem não fez qualquer objeção ao encontro.

Após mais alguns minutos esperando do lado de fora, a porta se abriu por completo e a empregada Dora pediu para que Vollare e DK entrassem. Os dois, em passos curtos, avançaram para dentro e ficaram boquiabertos.

No salão da entrada, prateleiras e estantes por todos os lados exibiam as mais lindas pedras preciosas. Pequenas plaquinhas identificavam cada um daqueles tesouros: esmeraldas, opalas pretas, granadas azuis, entre muitas outras. Não conseguiriam ler todas.

— Desculpem a demora, viu? É que é sempre assim: quando surge uma visita, costumamos guardar no nosso cofre as pedras de estimação do senhor

Fisher — justificou a mulher, seguindo por um corredor. — Podem me acompanhar.

DK e Vollare obedeceram sem dizer uma palavra. O primeiro, inclusive, estava arrependido de procurar o especialista: perto daquelas preciosidades que acabava de ver pela primeira vez, a pedra que carregava no bolso não deveria ter importância alguma. Imaginou que fariam senhor Fisher perder tempo.

Os três andavam por um extenso corredor, onde se viam espalhadas pelas paredes inúmeras fotos do senhor Fisher — pelo menos, achavam que fosse ele, já que um mesmo homem aparecia na maioria das imagens — viajando pelo mundo todo. Tinha fotos do cara em cima de rochedos brilhantes, com pedras preciosas nas mãos, trabalhando em minas e até recebendo prêmios e condecorações.

Em determinado ponto, a empregada pediu que eles esperassem. Diante deles, uma imensa porta, por onde ela entrou.

— Ele deve ser muito importante! — comentou Vollare.

— Nem me fale. Acho que vamos passar a maior vergonha do mundo — resmungou DK, tirando a pedrinha brilhante do bolso.

Dora voltou minutos depois, autorizando a entrada na sala.

Lá dentro, sentado em uma poltrona e rodeado de muitas outras pedras, estava um senhor careca, muito bonachão. Tinha uma barba branca e os olhos ágeis — comentaria Vollare depois que saíssem da casa.

O velho demorou a dar atenção aos meninos. Estava entretido com um objeto avermelhado e pontiagudo, muito brilhante que estava em suas mãos. Parecia acariciá-lo.

— Este é meu xodó — revelou, olhando pela primeira vez os visitantes. — É o diamante vermelho. Encontrei ele em uma expedição que fiz para o norte da África nos anos 1960.

Ao contrário do que eles esperavam encontrar, o senhor era simpático e agradável.

— Venham ver de perto! — convidou.

Os dois não perderiam aquela chance de jeito algum — estavam deslumbrados com o lugar.

— Só não podem tocar! — pediu o velho, antes de emendar uma risada espontânea. — É que eu morro de ciúmes!

— É a sua maior conquista? — perguntou Vollare.

— Por enquanto! A minha maior conquista ainda vai acontecer... — respondeu, levando o diamante vermelho para um cofre que ficava escondido atrás de um quadro. — Preciso mudar o lugar desse cofre! Ou, ao menos, colocar outra coisa para escondê-lo.

Afinal, qualquer bandido saberia onde encontrá-lo, já que geralmente os cofres ficam atrás de um quadro. Preciso providenciar essa mudança já!

 DK e Vollare estavam relaxando. A imponência da casa e os comentários que tinham ouvido sobre um homem muito recluso não condiziam com a vivacidade daquele sujeito divertido que estava na frente deles.

 — Mas me digam, rapazes, o que trouxe vocês até aqui? — perguntou senhor Fisher, retornando para sua poltrona. — Sentem-se, por favor!

 Os amigos ficaram confusos. Não havia nenhuma cadeira ou banco onde pudessem se sentar. O senhor Fisher disparou-se a rir mais uma vez:

 — Acho que me equivoquei. Não temos mais cadeiras! Podem se acomodar no chão!

 Com sorrisos amarelos, os dois se sentaram no chão, bem em frente ao senhor.

 — Falaram pra gente que o senhor é especialista em pedras preciosas — começou Vollare.

 — Pois bem! Acho que perceberam que estavam corretos, não? — se divertiu o velho. — Na verdade, sou lapidador. Pesquiso locais que possam ter pedras preciosas, retiro a pedra bruta das rochas e lapido para comercializar. Vendo minhas pedras para todos os lugares: seja para uma lojinha que existe aqui na cidade ou para grandes empresas no mundo todo!

O velho estendeu a mão para uma mesinha ao lado, derramou um pouco de chá que estava em uma garrafa térmica em uma xícara e tomou um gole.

— Não temos mais copos! Como sou mal-educado. Vou pedir para Dora trazer.

— Não precisa se incomodar — disse DK. — Só queremos que o senhor analise uma pedra que encontramos.

DK pegou a pedra do bolso, levou a mão fechada até bem próximo de senhor Fisher e, diante de seus olhos curiosos, apresentou-a para ele.

Senhor Fisher, que tomava mais um gole, virou o rosto para o lado e cuspiu todo o chá. Pegou seus óculos, que também estavam na mesa de apoio, colocou no rosto e se aproximou do pequeno objeto azul cintilante na palma do menino.

— Onde vocês conseguiram isso? — perguntou, pegando a pedra da mão de DK, sem pedir autorização.

O velho levantou-a na altura dos seus olhos e falou convicto:

— A pedra do Mediterrâneo!

Os meninos se surpreenderam. A análise fora mais rápida do que esperavam.

— O senhor reconhece uma pedra só de vê-la? — perguntou Vollare.

— Essa é impossível não reconhecer — disse o

velho, nitidamente emocionado. — Estou à sua procura há mais de sessenta anos!

Então, ele se levantou e saiu com a pedra na mão pela porta da sala:

— Venham comigo!

Sem questionar, os dois o acompanharam. O velho corria pelo corredor segurando a joia dos meninos como um troféu. Até parecia que tinha voltado a ser criança — ele chegava a pular de alegria. No salão da entrada da casa, cruzou com Dora, que tirava o pó da coleção de preciosidades e até deu-lhe um beijo no rosto, assustando a empregada.

— Encontrei! Encontrei! — repetia ele.

Senhor Fisher entrou em outro corredor — por aquele, os meninos ainda não tinham passado —, onde existiam ainda mais fotos de suas conquistas. Bem no fim dele, outra imensa porta. Senhor Fisher abriu, explicando:

— Aqui é minha oficina!

Após se refazerem da claridade que atingiu seus olhos de surpresa, os meninos não acreditaram no que viram ao colocar os pés lá dentro.

As paredes daquela oficina eram de vidro, o que permitia ver toda a Baía da Saudade, uma boa parte do oceano, a Serra do Mar e a cidadezinha de Vila dos Dois Ventos lá embaixo.

Entretidos com a paisagem, nem perceberam quando senhor Fisher se pendurou em uma escada apoiada em uma imensa estante de livros. Lá do alto ele dizia:

— Onde está? Onde está? Onde está? — até puxar um exemplar. — Achei!

O velho voltou ao chão carregando um imenso livro, que apoiou em uma mesa. Não precisou folhear muito para encontrar o que queria — a página estava marcada.

— Está aqui! Olhem, a pedra é idêntica a essa do livro. Vocês me trouxeram a pedra do Mediterrâneo! — clamava, vitorioso. Em seguida, explicou a história num fôlego só: — É um tipo raro que ouvi falar em uma viagem pela Europa nos anos 1950. Ela só foi encontrada certa vez em um rochedo em uma ilha localizada nos mares da Grécia. Mas uns contrabandistas descobriram a mina e exploraram toda ela, deixando-a vazia. Na ocasião da viagem, um sujeito que conheci afirmou que a mesma pedra poderia ser encontrada aqui na região da Vila dos Dois Ventos. É por isso que me mudei para cá e há anos vasculho essa e as cidades vizinhas atrás dessa rocha. E agora vocês, seus lindos, me trouxeram meu maior tesouro!

Os dois não conseguiam falar nada. Vollare apenas pensava: "Será que dona Hélia sabia da importância daquela pedra?".

— Onde vocês encontraram isso? — quis saber o lapidador. — Precisamos pegar mais exemplares!

— Encontrei na rua — explicou DK. — Mas achamos tão linda, tão única, que precisávamos saber se valia alguma coisa.

— Vale muito! Vale muito! — gritou, entusiasmado. — Não importa que tenham encontrado na rua, garotos. Pelo menos, sessenta anos depois, tenho certeza de que estou muito perto dessa raridade.

Senhor Fisher deu um forte e afetuoso abraço nos meninos — nos dois, de uma vez — a fim de agradecê-los pela alegria que tinham lhe proporcionado. O homem era muito grande e não conseguia medir sua força — eles entenderam a importância da pedra para ele, mas nem por isso precisavam ser esganados.

E o homem não os soltava. Para passar o tempo naqueles braços fofos e quentes, DK e Vollare começaram a reparar nos detalhes da oficina: a estante de livros, a máquina de lapidação, o balcão que ele trabalhava, algumas fotos pregadas na parede, ao fundo.

E teve uma, entre elas, que assustou os dois.

Após quase uma eternidade — pelo menos é o que sentiam —, DK e Vollare foram soltos por senhor Fisher. Conseguiram respirar um pouco. Ainda louco de alegria, o velho saiu da sala chamando por Dora, sua fiel companheira.

Sozinhos na oficina, DK e Vollare se aproximaram da imagem pregada na parede que havia chamado a atenção deles.

Na foto, um jovem muito bonito, olhos azuis, cabelos loiros, quase ruivos, sorriso largo, vestindo uma bermuda, sentado em um imenso rochedo, com o oceano ao fundo.

— Meu Deus! — disse Vollare. — O que uma foto de Zapata está fazendo aqui?

— Eu não tenho a menor ideia... — respondeu DK, atônito.

— Será que esse velho cheio de simpatia tem o mesmo problema de dona Hélia? Dupla personalidade? — suspeitou o outro.

— Só tem maluco nesse lugar — disse DK, olhando para todos os cantos, tentando se proteger. — Será que o Zapata está preso nessa imensa casa?

Antes que todas essas perguntas fossem respondidas, ouviram a voz de senhor Fisher logo atrás deles.

— Essa é a maior tristeza da minha vida!

DK e Vollare prontamente se viraram. Qualquer movimento do inimigo podia ser fatal.

— Por que o senhor tem uma foto do Zapata em sua casa, senhor Fisher? — perguntou DK, sem hesitar.

— Zapata? Do que está falando? — disse o velho, passando entre os meninos e pegando o retrato da parede. Com a foto nas mãos, seus olhos marejaram.

— Fala, senhor Fisher! Você nos deve uma explicação! — exigiu Vollare.

Sem dar atenção aos dois, o velho pensou em voz alta:

— Meu sobrinho querido! Que saudade de você, Guri.

DK e Vollare se desarmaram naquele instante.

— O que o senhor disse? Guri? — perguntou DK, completamente confuso.

— Sim. Esse é meu sobrinho, o Guri. Um menino tão lindo, tão bondoso. Ele desapareceu há muitos e muitos anos — lembrou o homem. — Tenho tanta saudade dele. Eu deixo sua foto aqui na minha oficina por causa dessa vista. Ele adorava o mar.

Senhor Fisher andou até o grande vidro que fazia parede na sala e, olhando para o horizonte, se perguntou:

— O que aconteceu com você, Guri?

Os meninos não sabiam nem o que pensar. Ele tinha ficado muito abalado ao se lembrar do sobrinho. Como já conheciam toda a história de Guri, preferiram não entrar em mais detalhes. Mas fizeram um pedido:

— Senhor Fisher, podemos dar uma olhada na fotografia mais uma vez?

O homem entregou o retrato para eles. Com o quadro em mãos, ficaram estarrecidos: o tal Guri, da lenda que assombrava Vila dos Dois Ventos, era idêntico ao amigo desaparecido. Podiam dizer até que eram sósias.

— O que você acha que isso significa, DK? — cochichou Vollare.

— Nada a declarar.

— Você acha que os desaparecimentos podem ter alguma relação?

— Eu não estou achando mais nada! Já disse!

Um pigarro intencional do velho Fisher foi o sinal para aquela conversa particular se interromper. Certamente, o encontro tinha rendido emoções demais para um homem da idade dele.

— Posso ficar com a pedra? — perguntou o lapidador.

DK e Vollare se olharam. Se fosse mesmo valiosa como o velho tinha dito, talvez fosse melhor deixá-la em segurança lá na casa dele. Mas os meninos impuseram uma condição:

— Se a gente precisar dela, podemos vir buscá-la?

— Combinado — concordou senhor Fisher. — Não posso negar isso a vocês!

O PASSADO VEM À TONA

Nara, ainda se sentindo culpada pelo que tinha falado para Zapata na noite do Ano-Novo, decidira fazer a sua parte na busca pelo menino.

Estava incomodada com a lenta ação da polícia no caso — desconfiava, inclusive, que as buscas tinham sido deixadas de lado desde que a prancha de Zapata havia sido encontrada despedaçada no mar. Quando podia, passava pela delegacia e cobrava o delegado Hércules, que sempre respondia a mesma coisa, sem dar muitos detalhes: "Os trabalhos continuam, garota. Temos que esperar!". Mas ela, definitivamente, estava cansada daquela fala.

Sozinha, tentava relacionar todas as informações que tinha e sua intuição dizia — não sabia muito bem por que, mas intuição funciona assim mesmo — que o caso do desaparecimento de Zapata estava relacionado com a história do Guri. Isso não lhe saía da cabeça. Por isso mesmo começou a sondar parentes, amigos e conhecidos para ter mais detalhes e nada conseguiu. Guri era um tabu para todos.

O que a menina mais temia era que o caso de Zapata tivesse o mesmo desfecho do outro: nenhuma solução.

Foi por isso que decidiu pedir ajuda ao primo Léo. Ele trabalhava como repórter no semanário *Notícias dos Ventos*, que circulava na região há pelo menos cinquenta anos. A garota estava interessada em pesquisar os arquivos do jornal. O objetivo? Encontrar notícias da época do desaparecimento de Guri.

Exigindo absoluto segredo, Léo abriu as portas da sala cheia de jornais antigos e disse:

— É tudo seu!

Nara sabia mais ou menos em qual verão Guri havia desaparecido e foi direto caçar as edições daquele período. Após algumas horas e centenas de páginas antigas vasculhadas, uma manchete chamou sua atenção:

EXTRA! DESAPARECIMENTO DE MENINO
ASSUSTA MORADORES DA VILA

Era aquilo! A garota começou a ler a reportagem inteira e se surpreendeu com as poucas informações concretas que ela trazia.

"Aqui diz apenas que na data da publicação fazia três dias que Guri havia desaparecido. Tem também um apelo, recrutando todos os moradores a ajudarem nas buscas", pensou, lendo o texto. "Também colocaram uma descrição do rapaz: 1,68 metro de altura, pele morena, cabelos loiros quase ruivos, olhos azuis."

Nara achou interessante a descrição. "Parece até que estão falando do Zapata!", pensou. Seus olhos percorreram a página do tabloide até uma foto que ilustrava a matéria. Tomou um susto que a fez jogar o jornal longe. Pensou que se tratava de alguma armação — mas o primo Léo não faria isso com ela. Pegou novamente a folha e certificou-se no topo da página a data de publicação da edição: era mesmo de quarenta anos antes. Voltou a analisar a foto, que trazia o rosto de um jovem e conferiu a legenda: "O garoto conhecido como Guri, desaparecido há três dias, em uma foto recente".

— Mas é a cara do Zapata!

Aquilo não estava lhe cheirando bem. Seu faro de detetive dizia que precisaria vasculhar mais edições atrás de outras notícias da época. Para ela, mais do que nunca, existia uma óbvia relação entre os dois desaparecimentos — bastava descobrir qual era.

Folheou desesperada diversos outros exemplares que haviam saído na mesma semana que a edição que tinha visto. Das páginas policiais às notícias corriqueiras das colunas sociais, tudo poderia ser útil.

E foi.

Uma pequena nota atraiu a garota. Era de uma coluna social da época, chamada "Verão é sempre verão", e trazia uma foto com a seguinte legenda: "Turistas invadem nossas praias mostrando charme e beleza".

Nada de mais, não fosse o fato de uma das quatro meninas que posavam de biquíni na imagem ser uma pessoa conhecida.

Incrédula, Nara deixou o jornal na mesa e chamou o primo, que trabalhava do lado de fora da sala, na redação.

— Léo, você tem uma lupa aí?

O rapaz achou graça do pedido.

— Nossa, prima! Parece que a investigação está ficando séria — brincou, indo pegar uma que ficava na gaveta.

Com a lente em mãos, voltou para a foto da coluna social. Léo, curioso, foi atrás dela. A menina passou a lupa em cima da imagem e confirmou sua suspeita:

— É ela!

— Ela quem, Nara? — indagou o primo.

— Dona Hélia!

— Jura? Que engraçado! Deixa eu ver — pediu Léo, se aproximando. — Gente finíssima ela!

— Gente finíssima... — balbuciou a garota. — É o que vamos ver...

UMA RELAÇÃO SUSPEITA

— Eu ouvi na noite do Réveillon ela contando sua história, na hora da homenagem! — Vollare dizia, exaltado, segurando a cópia do jornal nas mãos. — Ela disse com todas as letras que não conhecia essa cidade antes de vir morar aqui, que tinha chegado há pouco mais de seis meses. Até agradeceu a receptividade de todos!

Após sua descoberta, Nara tinha ido procurar os amigos. O grupo estava reunido no cais. Ela tinha pedido para Léo fazer uma cópia da página com a coluna social.

— Por isso que eu estranhei, Vollare — revelou Nara. — Ela diz para todo mundo que não conhecia Vila dos Dois Ventos, que achou a cidade em uma busca na internet, se encantou e resolveu vir fazer a vida aqui.

— A foto prova o contrário — exclamou o menino.

DK, ali próximo, estava muito desconfiado.

— Será que é ela mesmo? Tem muito sósia nessa história... o Zapata, o Guri...

Vollare levantou-se e encarou a foto no papel mais uma vez.

— Você mesmo sempre diz: tudo é possível!

Em seguida, olhou para o amigo e percebeu o sorriso dele se armar, iluminado.

— Mina! — falou DK.

Vollare viu, então, a garota se aproximando. Ela estava com uma cara fechada, parecia não querer papo com os meninos. Dirigiu-se apenas à amiga.

— Nara, vamos tomar um sol?

— Mina, agora não posso! Acabamos de descobrir uma coisa...

Mina não estava nada interessada. Desanimada, nem deixou Nara completar e sentou no deque de costas para a turma, observando as pedras.

Nara interrompeu sua fala, mas DK, incomodado com o jeito que estava sendo tratado pela garota, fez questão de contar tudo o que tinham descoberto.

— Mina, olha só: as investigações sobre o desaparecimento de Zapata estão avançando. Senhor Fisher confirmou que a pedra que eu te dei de presente é valiosíssima...

Mina não estava disposta a ceder. Fingia não ouvir, mas dentro dela comemorava cada informação que DK dizia.

— ... além disso... — continuou o garoto — ... descobrimos que o tão falado Guri é a cara do Zapata. Ou vice-versa, não sei!

Nara completou:

— É impressionante!

Mina estava sem entender. Como assim, iguais? Mas as novidades não paravam por aí, anunciou DK.

— E o mais incrível: ao contrário do que dona Hélia espalha por todos os cantos, ela já esteve aqui na Vila dos Dois Ventos há muitos anos.

— É, na época do desaparecimento do Guri! — disse Nara, mostrando a cópia do jornal para a amiga. — Veja essa foto!

Mina não disse nada. Teimosa, ela. Mas as novidades que os amigos tinham conseguido podiam, de fato, mudar os rumos da história. Ainda contrariada com DK, manteve-se em silêncio. Seu olhar fixava nas ondas que batiam nas pedras, lá no canto da praia.

— Vai, Mina! Não vai dizer nada? Nem nos dar os parabéns? — provocou DK.

Os olhos da garota se arregalaram.

— A única coisa que posso dizer agora é o que estou vendo: dona Hélia andando na parte mais perigosa das pedras.

Os três, que estavam virados para a areia do outro lado, olharam na direção das pedras.

— Foi lá mesmo que eu encontrei no dia do escândalo! — lembrou DK.

— Mas ali é muito perigoso! — falou Nara.

— E parece que ela não está sozinha, gente! — Mina prestou bem atenção. — Ela está junto com um homem. Que cara estranho! Está vestido com um paletó, nesse calor todo.

Vollare deu um passo à frente:

— É o estrangeiro que está hospedado lá na pousada!

PISTAS NA MESA

Ver dona Hélia acompanhada do estrangeiro misterioso fez com que o grupo tivesse que tomar sérias decisões. Os quatro — DK, Vollare, Mina e Nara — sabiam que precisavam se unir mais do que nunca.

Juntos, listaram todas as peças que, até aquele momento, achavam que deviam considerar na busca pela solução do caso.

A primeira peça era o roubo da prancha e sua destruição em alto-mar.

A segunda era o comportamento muito suspeito de dona Hélia.

A terceira era o estrangeiro intrometido e cheio de segredos.

A quarta era, claro, a semelhança entre Zapata e Guri.

A quinta, a pedra do Mediterrâneo.

A sexta peça do quebra-cabeça era a foto de dona Hélia no jornal.

E a sétima e, até então, última, o relacionamento entre a dona da pousada e o inglês.

Apesar de ainda não conseguirem fazer as devidas conexões, era a partir delas que iriam prosseguir na investigação.

A polícia, por sua vez, parecia que estava cada vez mais conformada com a falta de informações sobre o desaparecimento. Usavam o caso de Guri como argumento pelo trabalho lento, justificando que se tratava de "mais um mistério na cidade". Os amigos tinham claro que teriam que agir com as próprias mãos.

Naquela mesma noite, DK convocou uma reunião extraordinária no quiosque do Elton, que ficava na avenida à beira-mar. O local era muito concorrido no verão, frequentado por jovens da idade deles. A ideia de o encontro acontecer naquele ponto era uma só: despistar qualquer pessoa que desconfiasse daquela ação — leia-se como qualquer pessoa dona Hélia. Naquele local, seriam mais um grupo de jovens conversando e curtindo as férias.

Para Vollare o grupo deveria focar as investigações no estrangeiro.

Mina acreditava que dona Hélia não poderia ficar em segundo plano. Todos concordaram com ela.

DK, em um *insight*, lembrou dos dois policiais conversando no primeiro dia que esteve na delegacia.

— Aquela história do pescador... — disse, recordando cada detalhe do diálogo. — Eles zombavam de um sujeito que estava contando para todo mundo que tinha visto o Guri na praia na noite do Ano-Novo.

— Esse pessoal é maluco mesmo... — comentou Vollare.

— Não, cara! Talvez não fosse o Guri... — suspeitou. Nara imediatamente sacou a desconfiança do menino.

— Lógico, DK! Você está certo! O Zapata é a cara do Guri...

— Isso mesmo! — continuou DK. — Não foi o Guri que o pescador viu. Foi o Zapata.

— Precisamos ir atrás desse pescador imediatamente. Ele pode saber de algo — concluiu Mina. — Você lembra o nome dele?

— Hummm... agora você me pegou! — disse DK.

— Zóio, Armandinho Isca Fácil, Jorge Garoupa... — Nara foi falando uma série de nomes dos pescadores que conhecia na cidade.

— Não... nenhum desses — o garoto tentava se lembrar da conversa.

— Wilson Barqueiro, Tantan... — continuou a menina.

Ao ouvir o último nome, o menino disse:

— Isso! O nome era Tantan!

— Perfeito! Mais fácil impossível! Ele é conhecido

do meu pai — falou a garota. — O barco dele fica aqui numa praia vizinha.

— Vou amanhã atrás desse cara! Quem quer ir comigo? — perguntou DK.

Ninguém respondeu. Mina fingiu que o convite nem se estendia a ela, afinal não havia a menor chance de ela ir sozinha com DK conversar com o pescador, dado o rolo amoroso que viviam.

— Acho que posso ir com você! — Nara se ofereceu. — Como o Tantan sabe quem eu sou, pode ser mais fácil ele revelar algo.

— Ótimo! — disse Mina, levantando da mesa. — Eu e o Vollare vamos ficar na cola do estrangeiro.

UM PESCADOR QUE VIU DEMAIS

DK e Nara tinham combinado de se encontrar quase no fim da tarde do dia seguinte, no mesmo quiosque. De acordo com a sugestão da menina, aquele seria o horário ideal para encontrar o pescador, pois devia estar voltando do mar. Os dois seguiram a pé para a Praia do Perequê, vizinha à Praia do Guri, onde ficavam concentrados os barcos dos pescadores.

No caminho, DK aproveitou a companhia para fazer perguntas de interesse particular:

— Nara, você acha que a Mina pode nunca mais querer falar comigo?

A menina, sem rodeios, respondeu:

— Pode ser que sim, cara.

Decepcionado, preferiu nem tentar uma segunda informação — não era propriamente aquela resposta que esperava. Mas não se conteve. Alguns metros adiante, retomou o assunto.

— Mas o que eu fiz de errado?

— O quê? É esse seu ciúmes, DK! A Mina não suporta isso. Ela gosta de você, sim, não vou mentir. Mas gosta de liberdade também, sabe? Você fica na cola dela, o tempo todo, querendo saber de tudo. Ninguém aguenta!

Era mesmo melhor ter ficado calado. O menino fechou a cara, mas pensou alto:

— Preciso melhorar isso!

Assim que passaram pelo Morro do Mirante, um imenso monte que separava uma praia da outra, Nara apontou.

— Que sorte a nossa! Parece que o Tantan está voltando agorinha.

Os dois apertaram o passo até se aproximarem do *Odisseia* — sim, o barco de Tantan tinha esse nome, como estava escrito em sua lateral.

— Tantan! — gritou DK. — Podemos falar com o senhor?

Tantan, que jogava a pequena âncora no mar, ouviu o chamado e estranhou.

— Não precisa de tanta formalidade, moleque! Sou Tantan, biruta mesmo. Nada disso de senhor! — disse, rindo.

Ao olhar para a praia, o pescador reconheceu a menina ao lado do garoto.

— Olha a menina Nara! O que faz aqui?

— Queremos falar com você, Tantan! Podemos?

O pescador saltou do barco e foi até eles.

— Aconteceu alguma coisa com seu pai, menina? — ele perguntou, preocupado.

— Não, Tantan. Quero fazer uma pergunta rápida mesmo.

— Pois diga! Respondo o que quiser.

— É verdade que você viu o Guri no Ano-Novo?

O pescador até perdeu a cor ao ouvir a pergunta. Visivelmente incomodado, colocou a mão na cabeça, como quem quisesse esquecer algo.

— Não me faça lembrar daquilo, pelo amor de Deus! — pediu.

— Você tem medo do Guri? — perguntou DK.

— E quem não tem medo de fantasma, menino? Você não tem?

Seria muito difícil explicar para o pescador sobre a hipótese de que a pessoa que ele tinha visto não fosse Guri, mas Zapata. Então, continuaram o interrogatório sem revelar seu real objetivo. Precisavam apenas tirar o máximo de informações do pescador — talvez ali conseguiriam uma pista importante.

— Tenho medo, sim! — respondeu DK, tentando buscar uma cumplicidade. — Por isso que sou tão curioso. Eu queria saber mais sobre esse repentino aparecimento do Guri...

— De jeito nenhum! Já falei que não quero nem pensar nisso! — disse o pescador, irredutível.

Por um momento, DK e Nara acharam que não conseguiriam arrancar nada dele. Mas para a sorte dos dois, o pescador, desmiolado do jeito que era, contrariou seu próprio discurso e desatou a falar:

— Ainda me dá coisas quando me lembro daquele menino de cabelos laranja saindo do mar...

Eles não podiam perder a deixa.

— Ele estava no mar? — quis saber ela.

— Estava sim, menina Nara. Todo de branco. Coisa apavorante, assustadora!

A primeira informação que ele soltou era importante: Zapata vestia branco naquela noite, por causa da chegada do novo ano.

— Mas ele estava todo molhado? — continuou DK.

— Todinho! Saiu do mar com aqueles olhos azuis, azuis. Eu vi!

— E ele estava feliz? — indagou Nara.

— Feliz? Que nada! Estava atordoado, aquele fantasma. Olhos arregalados, o queixo tremia assim — o pescador até chegou a imitá-lo. — Parecia que estava voltando para o lado de cá pronto para puxar a perna de todo mundo. Nem me faça lembrar! Por favor!

O comportamento que Tantan descrevia — de um

garoto assustado — também fazia sentido. Apesar de o pescador continuar repetindo que não queria tocar mais no assunto, não parava de recordar os detalhes daquela cena:

— Sem falar naquele troço que ele tinha nas mãos!

DK levantou a sobrancelha, cruzou os braços e perguntou:

— Que troço é esse?

— Não sei, não consegui identificar. Era um negócio azul que brilhava muito, muito, muito. Devia ser coisa do capeta.

DK e Nara trocaram olhares. Bingo! Uma informação importante que faria eles começarem a juntar as pistas. O menino precisava apenas confirmar a suspeita:

— Era como se fosse uma pedra?

— Isso mesmo! Sabe aquela que o Super-Homem não pode ver perto?

— A kriptonita?

— Ela mesma...

DK achou graça da comparação feita por Tantan. Aquilo já era o bastante.

— Obrigado, senhor Tantan... ops... Tantan — disse ele, encerrando a conversa. — Acho que era isso que queríamos saber.

— Imagine — respondeu o homem, voltando ao

seu barco. — Mas da próxima vez apareçam para falar de coisa boa.

— Pode deixar, Tantan — falou Nara. — Mande um abraço para toda sua família.

— Outro para seu pai!

DK e Nara partiram de volta para a praia do Guri em êxtase. O cerco começava a se fechar.

Ainda confusa com as informações que o pescador trouxe, a menina quase passou despercebida por uma presença importante na Praia do Perequê: a do estrangeiro amigo de dona Hélia. Ele estava conversando com um outro pescador e olhava com detalhes o barco do sujeito. Podia ser bobagem dela querer encontrar pista em todos os lugares. Talvez o cara só estivesse interessado em um passeio. Por isso preferiu nem interromper DK, que repetia sem parar:

— O desaparecimento do Zapata tem a ver com a pedra valiosa! Tem a ver com a pedra!

ONDE MORA O SEGREDO

Mina olhava insistentemente o relógio. Esperava Vollare no portão da pousada fazia quase 15 minutos.

O menino, por sua vez, estava no quarto, se arrumando. Tomou banho, escolheu a roupa mais bonita que tinha na mala, escovou os dentes e passou perfume.

Enquanto o amigo não aparecia, Mina aproveitou para ficar de olho em tudo que pudesse ser suspeito. Afinal, o objetivo daquele encontro era descobrir mais coisas sobre a relação entre dona Hélia e o estrangeiro misterioso. O que ela não poderia imaginar é que, naquela tarde, a sorte estava do seu lado.

Foi bem na esquina de cima da pousada que o casal suspeito surgiu. Vinham conversando de maneira muito íntima. Mina imediatamente buscou algum lugar que pudesse se esconder e não ser vista pelos dois. Um terreno baldio onde se ergueria um empreendimento imobiliário, bem ao lado da pousada, serviu de refúgio. Ficou à espreita, atrás de um tapume de madeira, e percebeu quando o casal passou por ela.

— Você acha que estamos no caminho certo? — perguntou dona Hélia.

— Imagino que sim — respondeu o homem.

"Ele fala português!", a menina se surpreendeu. Ele tinha um sotaque, sim, mas pelo jeito conseguia muito bem se comunicar na nossa língua. Sem deixar ser notada, esticou a cabeça o quanto pôde para avistar os dois. O diálogo continuou enquanto caminhavam em direção à pousada.

— Você mesma me disse que era naquela direção, *darling*! — disse o estrangeiro. — Estou confiando nas suas informações.

— Foi o que aquele maldito tinha me falado, Dodge! Eu lembro direitinho — respondeu a mulher, emendando em outro assunto: — E o lance do barco? Tudo certo?

— Convenci o pescador. Fique tranquila!

Mina agora sabia como o sujeito se chamava: Dodge. Levando em conta seu nome, sua aparência e o sotaque carregado, ele devia mesmo ser de outro país.

Pouco antes de entrarem na pousada, os dois pararam. Ficaram muito próximos um do outro. Mina, de onde estava, não conseguia mais ouvir a conversa, mas seu campo de visão permitia que acompanhasse todos os movimentos que faziam.

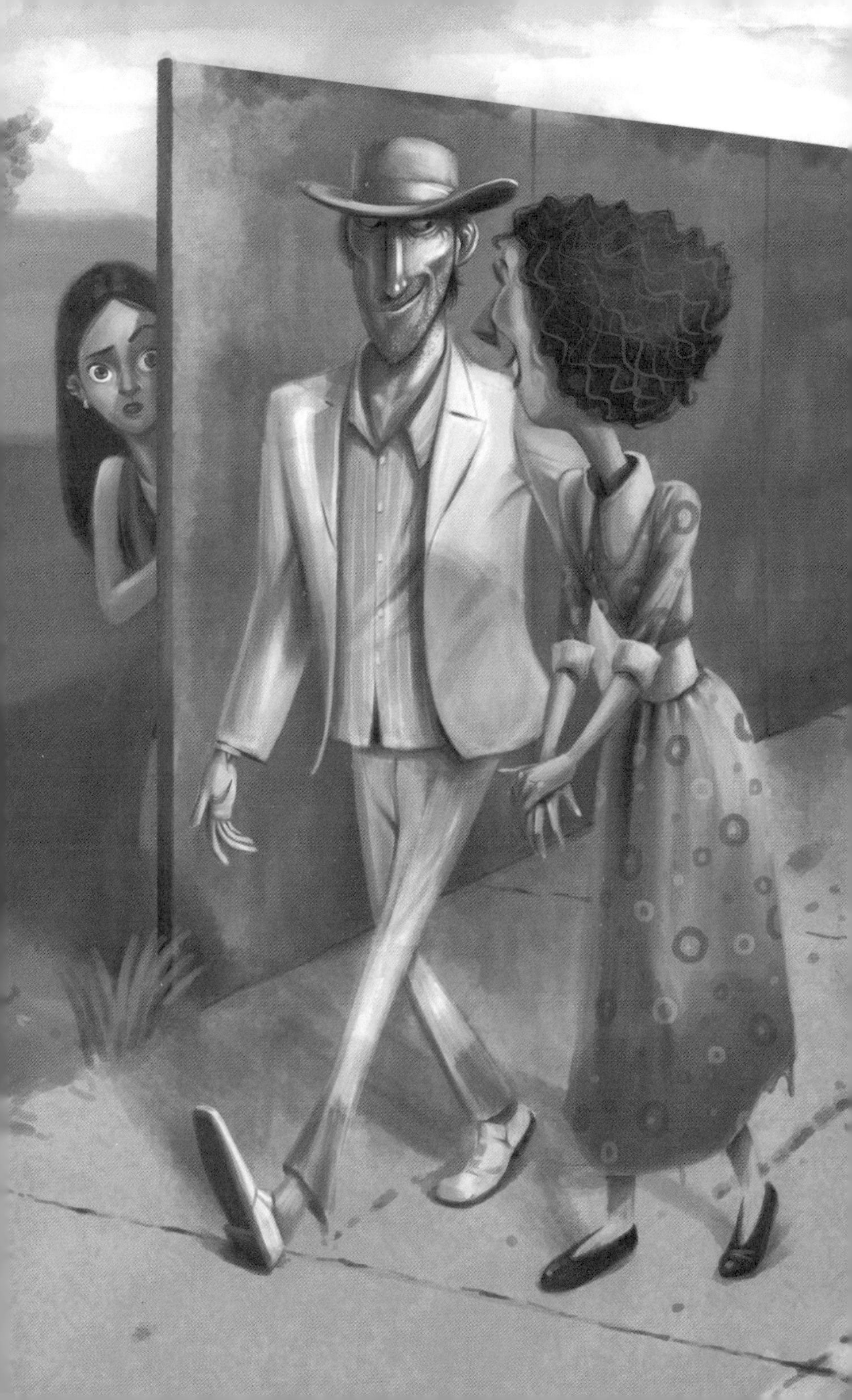

Foi então que percebeu que a calça clara do estrangeiro estava toda molhada na barra, assim como a ponta do vestido de dona Hélia, que pingava. Talvez o casal tivesse ido outra vez nas pedras em busca de alguma coisa que os amigos ainda não haviam descoberto.

Naquele instante, o estrangeiro tirou do bolso de seu paletó algo que estava embrulhado em um lenço vermelho. Dona Hélia conferiu rapidamente se ninguém estava observando, recebeu o presente e colocou dentro do casaco de malha que vestia. O homem acariciou o rosto da senhora, que sorriu em retribuição. Ela, então, seguiu sozinha para a pousada e o estrangeiro permaneceu no portão por mais alguns minutos — talvez para evitar que fossem vistos juntos.

Poucos segundos depois, Vollare apareceu. Cruzou com Dodge e o cumprimentou.

— Hi, boy! — disse o sujeito, entrando na pousada.

Vollare achou estranho que Mina não estivesse à sua espera. Ela havia até mandado uma mensagem avisando que tinha chegado. De repente, o garoto viu a amiga sair do terreno ao lado e estranhou:

— O que você está fazendo aí?

Sem responder, chamou-o com a mão e colocou o dedo indicador em frente à boca, pedindo silêncio absoluto. Sem entender, Vollare apenas obedeceu.

Na rua de cima, certa de que já estavam seguros, Mina contou para Vollare tudo que viu.

— Precisamos imediatamente ir até as pedras na costa da praia. É lá que mora o segredo!

UM BEIJO

— Daqui eu não consigo passar, Vollare — disse Mina, se apoiando em um rochedo.

Eles tinham seguido, conforme sugerido pela garota, até a ponta da praia, onde ficavam as pedras. Havia um ponto limite para a segurança das pessoas que ali andavam, e os amigos chegaram a ir além, onde poderiam ser jogados longe pela força das ondas que se espatifavam nas rochas.

— Acho que é melhor voltarmos — ela falou.

O pedido foi prontamente atendido pelo garoto, que ainda não havia conseguido entender o motivo de dona Hélia e o estrangeiro estarem tão interessados por aquela área.

— Pode ser que a gente esteja viajando demais, Mina — pensou Vollare. — E se eles forem apenas amantes e gostam de ficar juntos, escondidos, onde ninguém possa encontrá-los? Aqui é um ótimo lugar.

A teoria até fazia sentido, pensou Mina, lembrando a conversa que viu na porta da pousada. Mas mesmo assim, algo lhe dizia que, mesmo sendo um casal apaixonado, guardavam algum segredo. Mas pelo que puderam ver, ali, entre as rochas, nenhuma pista, nada que poderia ser considerado suspeito.

— Melhor sairmos rápido, Mina. Está escurecendo, a maré pode subir e a gente ficar preso aqui — disse o menino.

Ela seguia na frente e ele vinha logo atrás, dando apoio. Os pés se equilibravam nas pedras irregulares e qualquer pisada em falso poderia levar um dos dois para a água.

— Ô lugarzinho difícil, viu? É muito amor que tem que ter para vir namorar aqui — desabafou Mina.

— Mas, em compensação, não podemos negar que aqui é um lugar bem romântico — respondeu Vollare.

— Por que está dizendo isso?

Era fim de tarde. Vollare apontou o horizonte e Mina viu o sol se pondo no oceano.

— Nossa, a visão daqui é ainda mais bonita!

— E se a gente esperasse um pouco e curtisse esse espetáculo? — sugeriu o menino.

Mina achou que seria uma boa.

Vollare se sentou em uma pedra e a garota, quando ia se ajeitando para ficar ao seu lado, foi surpreendida por uma forte onda. O susto fez com que ela perdesse o equilíbrio e caísse em cima do amigo.

Quando Vollare se deu conta, Mina estava em seus braços.

A sensação era estranha. Uma mistura de nervosismo e alegria. Parecia que a oportunidade, enfim, tinha surgido para ele.

Ficaram ali, os dois, se olhando.

O menino se aproximou.

Ela não esquivou.

Vollare não conseguia acreditar que, enfim, estava beijando Mina.

Ela não entendia o que estava acontecendo. Quase não conseguia raciocinar.

Em um ímpeto, perguntou:

— Por que você fez isso?

— Porque eu gosto de você.

Mina apenas sorriu.

Ficou feliz com a declaração.

E retribuiu com mais um beijo.

Ficaram lá, os dois, abraçados, quietos, sozinhos, vivendo aquele momento.

Não queriam pensar, entender, nem explicar nada.

UM CORAÇÃO DIVIDIDO

Nara havia se despedido de DK, que seguiu para a pousada, e foi caminhar no calçadão. Ali, cruzou com Mina, que parecia bastante apressada — tanto que mal notou sua presença.

— Para onde vai nessa velocidade, menina?

Mina só parou quando Nara correu um pouco e puxou-a pelo braço.

— O que houve? Descobriram mais alguma coisa?

Nara percebeu que Mina estava esquisita. Parecia meio envergonhada, sem graça. Mesmo assim, queria contar de qualquer jeito a informação bombástica que ela e DK tinham ouvido da boca do pescador.

— Podemos conversar depois, Nara? — pediu Mina, que continuou andando.

A amiga não se deu por vencida. Continuou a segui-la, fazendo suposições sobre o que poderia ter acontecido.

— Vocês descobriram algo revelador sobre dona Hélia? Ou foi o estrangeiro que aprontou alguma?

Mina ignorava Nara, que não deixava a sua cola.

Só parou quando a amiga disparou a contar a breve conversa que teve com DK sobre os dois.

— O DK veio me perguntar sobre você!

— O que ele queria?

— Saber se você voltaria a falar com ele...

— E o que você disse?

— Que talvez não — respondeu Nara, divertindo-se. — É bom para ele não achar que está com essa bola toda. De repente aparece outra pessoa e...

Antes que a amiga continuasse, Mina revelou:

— Já apareceu.

Nara abriu a boca, surpresa, arregalou os olhos e mexendo as mãos, perguntou:

— Quem é? Conta! Conta! Conta!

Mina estava confusa com o que tinha acabado de acontecer nas pedras. De cabeça baixa, ela revelou, com certa culpa:

— Eu acabei de beijar o Vollare.

O queixo de Nara caiu. Ela esperava qualquer coisa, menos aquilo.

— Você não tem juízo? — disse, sem pensar. Só que ao perceber que, de alguma forma, tinha julgado a amiga, tentou consertar: — Não sei o que aconteceu para isso rolar. Não posso falar assim com você, me desculpe. É que eu pensei na reação do DK quando descobrir que a menina que ele mais ama ficou com seu melhor amigo.

Mina puxou a amiga para um banco próximo para conversarem melhor.

— Eu bem que desconfiava que o Vollare gostava de você — disse Nara.

— É... falando a verdade, eu também percebia — revelou Mina.

— E o que você está sentindo agora, amiga?

— Confusão! Muita confusão! — falou, colocando as mãos na cabeça. — Se eu pudesse, ficaria com uma parte de cada um. DK é incrível, mas tem aquela questão do...

— ... ciúmes! Eu falei isso pra ele! — interrompeu Nara.

— Pois é — Mina continuou. — Mas o Vollare é mais sensível, um fofo. E com aquela carinha, ele me beijou e disse que gostava de mim. Eu deixei rolar.

— Tá certíssima! — apoiou a outra. — Já diria o ditado: camarão que dorme na praia a onda leva. Só não quero nem ver quando o camarão em questão, nesse caso o DK, descobrir tudo isso.

— Nem eu, Nara. Nem eu.

ACERTO DE CONTAS

Quando Vollare abriu a porta do quarto encontrou DK saindo do banho. Ainda com a lembrança do beijo em Mina borbulhando em sua mente, fingiu-se de cansado e deitou de bruços na cama, com a cara enfiada no travesseiro. Queria evitar o encontro com o amigo.

"Que culpa eu tenho se gosto dela também?", perguntava-se, tentando achar uma justificativa para a sua iniciativa.

Vollare sabia muito bem que DK ignoraria aquela história de cansaço, ainda mais em meio às investigações do caso de Zapata.

Assim que terminou de se vestir, DK se sentou na cama do amigo.

— Cara, você não imagina a bomba que nós descobrimos!

Vollare nem respondeu. Não queria saber de nada naquele momento, mesmo que aquela informação fosse a mais importante do último século. DK, certo de que ele estava sendo escutado, continuou contando.

— O tal cara que o pescador viu no Réveillon era mesmo o Zapata. E ele falou mais: que nosso amigo tinha nas mãos uma pedra que, pela descrição, era igual à que eu dei para Mina. Acredita nessa?

O amigo continuava na mesma posição. Não esboçava qualquer reação. DK começou a estranhar aquele comportamento. Tentou, mais uma vez, uma interação.

— E vocês? Descobriram algo lá nas rochas?

Vollare não estava com paciência de descrever tudo o que aconteceu, desde a conversa que Mina ouviu escondida até o fatídico beijo entre os dois. Limitou-se a dizer:

— Algumas coisas. Depois te conto...

DK começou a achar que tinha acontecido algo de grave para Vollare ficar naquele estado. Talvez precisasse assumir o papel de mais velho dos três e agir como um irmão.

Tocou as costas do amigo, perguntando:

— Eu posso te ajudar em algo, cara?

O encontro com Mina não saía da cabeça de Vollare e ele, logicamente, temia a reação do amigo caso ficasse sabendo daquilo. Mas talvez fosse melhor contar tudo de uma vez, pensou.

— Vai! Somos ou não irmãos? — insistia o amigo.

Vollare decidiu, então, que era melhor conversar de homem para homem e abrir o jogo. Não precisava ter medo, afinal, como tinha dito, DK era quase um irmão.

O menino sentou-se na cama e encontrou DK com um sorriso no rosto — que, fraternalmente, passou a mão em seu cabelo, bagunçando-o.

— Vai cara! Confia em mim. Estou do seu lado para o que der e vier!

Vollare engoliu em seco.

"Vou falar tudo de uma vez", pensou, antes de disparar:

— Cara, eu beijei a Mina!

O sorriso terno de DK desabou em um segundo. Seus olhos se espremeram, anunciando que um acesso de fúria subia da cabeça aos pés. A reação tão temida foi instantânea.

— Você só pode estar brincando comigo!

Vollare, abalado, preferiu nem responder.

Ali, em silêncio, recebeu o primeiro soco.

O garoto rolou para o chão, onde ficou estendido.

DK ficou de pé ao seu lado, sem ajudá-lo.

Lentamente, Vollare se apoiou na cama e levantou-se. Seu queixo doía muito.

Não tinha do que ter vergonha. Se era para ser assim, que comprasse a briga:

— Então nós vamos disputá-la!

Ao ouvir a frase que saiu da boca de Vollare, DK

deu um forte empurrão nele. Mas o menino revidou, levando o rival ao chão.

Eles nunca tinham brigado. Nem eles entendiam o que estavam fazendo.

DK tentou se levantar, mas Vollare se jogou em cima dele.

No piso de taco do quarto 17, os dois se engalfinharam.

A briga só cessou quando ouviram um barulho.

Um assovio.

Fiuuuuuuuu fiu fiu.

Aquele *fiu* comprido, seguido por dois outros curtos.

Ficaram paralisados no chão.

Olhos nos olhos.

Outra vez o assovio.

Fiuuuuuuuu fiu fiu.

— Você ouviu isso? — perguntou Vollare.

— Ouvi — respondeu DK. — Eu não acredito!

— É o assovio do Zapata.

— Esse mesmo! O que sempre combinávamos que ele faria quando estivesse correndo perigo no mar.

— Esse mesmo! É o Zapata! É o Zapata!

Fiuuuuuuuu fiu fiu.

UMA SENHORA NO CAMINHO

Fiuuuuuuuu fiu fiu.

O assovio era contínuo e cada vez mais distante.

DK abriu a porta do quarto, desatinado.

— Zapata! É você? — gritava.

Pouco se importou se iria incomodar os outros hóspedes da pousada naquele começo de noite. Vollare saiu logo atrás dele, carregando um belo hematoma perto do queixo.

— Zapata! Onde está você? — dizia, unindo-se ao amigo na procura.

O desentendimento de minutos antes havia sido esquecido — Mina era um assunto que poderia ser resolvido em outra hora.

Pelos corredores, chamavam pelo nome do amigo. Pela primeira vez, desde a noite do Réveillon, se sentiam muito próximos a ele — já se passavam quase vinte dias de agonia.

Percorreram todos os corredores da hospedaria, chegaram até a bater na porta de alguns quartos, mas

não encontraram nenhum sinal de Zapata.
— Tenho a impressão de que ouço o assovio mais longe. Acho que devemos ir para a cidade, DK. Aqui na pousada, Zapata não está — constatou Vollare.

Assim que cruzaram o portão de entrada, seguiram pela rua estreita de paralelepípedo que levava até a Igreja Matriz. Estava muito escuro e vazio. No caminho, avistavam apenas uma pessoa que andava muito, muito devagar, com o corpo curvado. Estranharam que, no calor do verão, estivesse com um xale e um lenço na cabeça. Talvez se tratasse de uma senhora muito velha — ela também carregava duas malas, uma em cada mão.

Ali, era a única figura para quem poderiam perguntar se havia cruzado com alguém com as características de Zapata.

— Dá licença, senhora. Estamos à procura de um amigo nosso e acho que ele passou por aqui. Você, por acaso, não cruzou com um menino mais ou menos da minha idade, com um cabelo loiro...

A mulher respondeu antes que a descrição fosse terminada.

— Não! — disse, ríspida, escondendo o rosto.

DK ignorou a resposta da mal-educada e insistiu, de propósito.

— Ele é mais ou menos dessa altura...

— Eu já disse que não! — repetiu a mulher.

"Que senhora estranha...", pensou.

— A gente pode te ajudar a carregar essas malas — sugeriu DK, colocando-se na frente dela e impedindo sua passagem.

A mulher parou onde estava, de cabeça baixa. O lenço fazia sombra e escondia o rosto da tal, mas bastou um movimento brusco para a pessoa ser revelada.

— O que vocês querem tanto comigo?

Era dona Hélia.

DK sabia que havia algo de bizarro naquela senhora corcunda.

— Vocês não me deixam nem fazer um gesto de caridade anonimamente? — indagou ela. — Estou indo pegar um ônibus lá na rodoviária para levar umas roupas que juntei na comunidade para um asilo em uma cidade vizinha! Saibam que vocês são uns chatos! Muito desconfiados de tudo!

Vollare achou que ela poderia estar dizendo a verdade.

— É que acabamos de ouvir um chamado do nosso amigo desaparecido. Por isso estamos assim cheios de atenção e paramos a senhora. Mil desculpas!

DK, por sua vez, não tinha engolido aquele papo de caridade. Continuava de braços cruzados, encarando a dona da pousada.

— Não vai me deixar passar? — perguntou ela. — Tenho hora marcada! Senão perco o ônibus.

Vollare puxou o amigo pelo braço.

— Daqui não vai sair nada. Acho melhor corrermos, DK.

Ele foi, mas contrariado. Sem ainda se convencer da história de dona Hélia, alguns metros adiante virou-se para trás, para conferir se ela continuava por aquele caminho.

Não havia mais ninguém lá.

Fiuuuuuuuu fiu fiu.

O PEDIDO

— Nenhum sinal, DK!

— Será que foi delírio nosso, Vollare?

Os dois amigos estavam desiludidos e cansados. Haviam percorrido a cidade inteira na esperança de, em um canto qualquer, dar de cara com Zapata. Vasculharam por todas as partes: no centro de comércio, na Praça da Igreja Matriz, por toda a orla da praia do Guri e foram até a Praia do Perequê, onde ficavam os barcos de pesca. Pararam turistas e moradores locais, grupos de amigos, casais que namoravam na praia, vendedores ambulantes, mas ninguém, absolutamente ninguém, tinha visto alguém parecido com Zapata.

— Não pode ser, cara. Tenho certeza que era o assovio dele!

DK e Vollare recuperavam o fôlego na formação rochosa que ficava na encosta da Praia do Guri. A ideia deles era que, após se recomporem da fadiga, voltassem a percorrer a cidade. Talvez, naquela situação, fosse importante contar com a ajuda da polícia local.

O mar estava muito calmo, reparou DK. No azul-escuro do oceano, a lua cheia, grande e amarela, refletia na água. Voltou à sua cabeça a história que padre Aron havia lhe contato, no início das férias, sobre a lenda do Guri.

— Dizem que o Guri às vezes aparece nadando em alto-mar. É quando as pessoas fazem um pedido a ele — lembrou. — Se ele aparecesse neste instante lá onde a lua reflete, eu pediria: traz o Zapata de volta.

— Pois é, amigo — respondeu Vollare, desapontado. — Seria uma ótima solução. Mas a única coisa que consigo ver lá no mar é um barquinho solitário.

Os dois ficaram observando a tranquilidade da maré.

Era uma boa oportunidade para pensarem em tudo o que estavam vivendo.

Talvez a experiência do desaparecimento de um amigo estivesse trazendo maturidade a eles.

— Eu não acredito! — falou DK, pausadamente. Com os olhos fixos no horizonte, se levantou e apontou o mar. — É o Guri! Ele existe mesmo!

Vollare colocou-se de pé, tentando uma melhor visão. Conseguiu avistar uma pessoa nadando diante deles, na água. A imensa lua iluminava a cena.

— É verdade!

Os amigos, lado a lado, se aproximaram, confirmando a ligação fraternal que tinham. DK, deixando de lado a mágoa instantânea que sentia por Vollare, passou o braço por trás do amigo.

Independentemente do que acontecesse, estariam juntos. Eram irmãos.

Em tom de prece, pediram em silêncio:

— Zapata, volte!

Fiuuuuuuuu fiu fiu.

Fiuuuuuuuu fiu fiu.

Fiuuuuuuuu fiu fiu.

O assovio vinha de alto-mar.

Talvez, a pessoa nadando não fosse a lenda.

Talvez não fosse o Guri.

— É o Zapata! — surpreendeu-se Vollare. — Tenho certeza! É ele nadando no oceano. É o Zapata!

Fiuuuuuuuu fiu fiu.

BUSCA EM ALTO-MAR

Os dois garotos saíram em disparada pelas areias em busca de alguém que pudesse ajudá-los. Algumas pessoas que estavam curtindo a noite na praia assustaram-se com a correria e até pensaram que se tratava de um assalto.

Instintivamente, DK e Vollare se dividiram na ação — cada um correu para um lado. O primeiro seguiu pela orla na tentativa de encontrar algum pescador que tivesse um barco ancorado ali perto e pudesse levá-lo com urgência até o local onde o amigo estava; o segundo foi em direção à delegacia, que ficava do outro lado da avenida da praia.

DK teve a sorte de se deparar com um conhecido: o pescador Tantan, com quem havia se encontrado há pouco tempo. O *Odisseia*, seu barco, estava atracado no mesmo lugar onde conversaram. Assim que viu o garoto se aproximar, esticou a mão e pediu distância:

— Nem venha me perguntar mais coisas sobre aquele fantasma! Já falei tudo!

Antes que o pescador pudesse escapar, DK disse

o que precisava, apontando o oceano.

— Tem uma pessoa em perigo no mar! Quero que você me leve até lá para resgatá-lo, por favor!

O pescador cerrou os olhos, curvou-se como quem pedia proteção e respondeu:

— Você está de brincadeira comigo! É o Guri que está lá! Eu não te levo nem morto!

Talvez Tantan fosse mesmo irredutível quando o assunto era Guri. DK procurou ao seu redor algum outro barco ancorado, com alguém que pudesse levá-lo até Zapata. Mas Tantan era o único — e já fugia veloz pela areia, rumo ao calçadão.

O menino não tinha escolha: sem pedir autorização, subiu no *Odisseia* e gritou ao sujeito.

— Como faço para esse barco funcionar?

Tantan ouviu a pergunta e quando viu, o adolescente estava em cima do barco, tentando puxar a âncora. O pescador correu até ele para impedir que fizesse alguma besteira.

— Você está maluco, moleque? — disse Tantan, subindo no barco. — Você não pode mexer no *Odisseia*.

— Então me leve até aquela pessoa!

Tantan fitou o mar com desconfiança.

— E se acontecer alguma coisa com a gente?

— O mínimo que pode acontecer é você virar um herói.

O pescador não viu outra saída senão atender o pedido de DK. Ele desancorou o barco, que seguiu pelo mar rumo ao reflexo da lua.

Naquele instante, Vollare invadia a areia na companhia de dois policiais que estavam de plantão. Ele havia contado sobre a suspeita de que o garoto desaparecido estivesse se afogando. Cada policial subiu em um *jetski* que estava na praia para ser usado em casos de afogamento de banhistas, que aumentavam na temporada.

— Posso ir junto? — pediu Vollare. — Ele é meu amigo! Talvez seja importante que eu acompanhe o resgate.

O policial autorizou e mandou subir rápido na garupa. Com todos posicionados, os dois *jetskis* avançaram pela água.

Em alto-mar, Tantan avistou um pequeno barco que seguia em direção a uma ilha. Percebeu que se tratava do *Vida Bandida* — nome que conseguiu ler na lateral do barco, ainda que estivesse muito escuro — e que pertencia a seu amigo Olívio, que também pescador. Tantan, assim como todos os outros pescadores da região, sabia muito bem que era arriscado seguir naquela direção que o *Vida Bandida* ia àquela hora da noite.

— O que será que o compadre Olívio está fazendo

indo para o lado da Ilha Quebrada a essa hora?

Apenas com o comentário de Tantan foi que DK percebeu a existência de um outro barco ali perto. Logo o *Odisseia* sentiria o balanço intenso da água por conta da passagem dos dois *jetskis*. Da garupa de um deles, Vollare acenou para o amigo. Certamente, os policiais chegariam mais rápido até Zapata.

— Menino... — alertou Tantan, preocupado. — Como a polícia já está bem perto do sujeito na água, eu acho melhor a gente ir até o Olívio para impedir que ele siga adiante. Não sei por que está fazendo isso, mas pode ser uma viagem sem volta.

Algo dizia para DK que era preciso averiguar o outro barco. Por isso, autorizou a manobra do pescador. Vollare, acompanhado dos agentes, faria o resgate perfeito de Zapata. Era preciso confiar.

ZAPATA DE VOLTA

Os olhos azuis.
Brilhando.
No meio do mar.
Quando se aproximaram, Vollare teve certeza: era Zapata.

O garoto se debatia na água para tentar se manter na superfície — apesar de estar cansado, parecia calmo.

Zapata e o mar eram amigos de longa data.
Vollare assoviou.
Fiuuuuuuuuu fiu fiu
Foi correspondido.
Fiuuuuuuuuu fiu fiu

Os *jet-skis* acercaram o garoto no mar. O policial, que estava sozinho conseguiu puxá-lo para a sua garupa.

Seguro, Zapata olhou para o outro *jetski* e reconheceu o amigo.

— Vollare, é você? — perguntou, ainda recuperando o fôlego e com a respiração debilitada.

Vollare sorriu. Estava feliz, muito feliz.

Os dois policiais se comunicaram:

— Vamos voltar para a areia, ok?

— Esperem! — pediu Zapata. — Sigam aquele barco, por favor!

O menino apontou na direção do *Vida Bandida*, que ia rumo à escuridão.

O *Odisseia* não conseguia ser tão veloz, então foi fácil os *jetskis* alcançá-lo. Tanto o barco de Tantan, quanto a polícia chegaram juntos ao barco do pescador Olívio e fizeram o cerco. Os *jetskis* se posicionaram na frente e o *Odisseia* atrás, impedindo que o *Vida Bandida* escapasse por algum lado.

Sem saída, um homem surgiu de dentro da pequena cabine.

— O que vocês querem comigo?

Vollare reconheceu o sotaque no ato. Era o estrangeiro — e ele conseguia, mesmo, falar português.

Tantan, ao ver um desconhecido no barco do amigo, bradou:

— Você é um ladrão que roubou o barco do Olívio, é?

— Pode ser... pode ser... — respondeu DK.

— Não senhor! Eu aluguei esse barco para um passeio. Queria navegar por essas águas lindas durante a noite — explicou o estrangeiro.

— Viemos atrás de você porque é muito perigoso passar desse ponto a essa hora. Vários barcos já desapareceram mais adiante durante a noite! — explicou o guarda.

— Me desculpe! Vou voltar imediatamente. Agora podem ir. Obrigado pela ajuda — respondeu o homem.

DK percebeu que alguma coisa se mexia dentro da cabine. "Seria uma segunda pessoa?", ele pensou.

Quando os policias se preparavam para dar meia-volta, Zapata impediu:

— Esperem! Eles são bandidos. Não deixem eles escaparem! Eles estavam me sequestrando!

Os policiais olharam um para o outro. A denúncia podia ser pertinente — afinal, o que faria um jovem como Zapata nadando em uma área perigosa do oceano naquele horário? Então, voltaram a se aproximar do *Vida Bandida*. O estrangeiro, ao perceber o retorno, apareceu novamente para o grupo.

— Acho melhor o senhor voltar conosco — solicitou, educadamente, o policial.

— Não se preocupem comigo. Já disse! — Dodge respondeu.

Zapata disparou a falar:

— Não caiam na dele! Eles me mantiveram em cativeiro durante toda as minhas férias. E estavam fugindo!

— E o que você fazia no mar, Zapata? — perguntou Vollare.

— Eles queriam me jogar na água mais para frente. Mas eu consegui saltar a tempo, em um lugar que eu pudesse nadar e voltar seguro para terra firme.

O policial encostou no barco e deu voz de prisão ao estrangeiro.

— Eu preciso averiguar a acusação. Venha comigo! — respondeu.

Vollare percebeu, então, que o estrangeiro olhava para dentro da cabine, como se procurasse alguém.

Do outro lado, de dentro do *Odisseia*, DK viu uma pessoa sair da cabine, numa tentativa de fuga. Não conseguia ver o rosto da figura, que estava coberto com alguns lenços.

— Quem é você? — perguntou o garoto.

A pessoa olhou para ele, surpresa — não tinha percebido que estava cercada.

— Vocês me pagam!

Quando a luz da lua avançou sobre o local onde estavam, reconheceu quem era:

— Dona Hélia?

Era ela — e no seu estado mais furioso. Olhava para todos os cantos, tentando achar um lugar para escapar, mas só havia água ao seu redor. Sem saída, a mulher não hesitou e pulou no mar.

— Essa mulher é maluca! — disse Tantan.

— Coloca maluca nisso! — respondeu o garoto, tentando procurar a senhora, que logo desapareceu na água escura.

Os policiais estranharam o som do mergulho e ouviram DK gritar:

— Uma mulher se jogou na água! Eu não estou conseguindo mais vê-la.

Enquanto um dos policiais algemava o estrangeiro, o outro deu a volta no *Vida Bandida* e se aproximou do *Odisseia*, tentando ajudar na procura da fugitiva.

Só que dona Hélia não emergiu mais.

UMA TRAMA CHEIA DE LIGAÇÕES

Quando chegaram na praia, Zapata, Vollare e os dois policiais foram cercados por um pequeno grupo de curiosos. Eles haviam percebido a movimentação no mar e acompanharam toda a ação da areia. Ainda retornando, estavam DK e o pescador no *Odisseia*, que também trazia o estrangeiro Dodge algemado e puxava o *Vida Bandida*.

A primeira coisa que Zapata fez em terra firme foi se despejar na areia fofa. Estava completamente quebrado, quase morto, de tanto nadar. Foi só ali que um detalhe chamou a atenção dos presentes: ele vestia uma roupa de mulher — uma saia vermelha e um blusão estampado. Vollare, por sua vez, tentava fazer as pessoas se afastarem.

Assim que o *Odisseia* aportou, os policiais tiraram o estrangeiro do barco e seguiram com ele para a delegacia, que ficava bem perto. Orgulhoso, mantinha a cabeça erguida, como um lorde. Só abaixou o rosto no momento que olhou pela última vez para o menino deitado na areia. Ao cruzar com o olhar de seu algoz, Zapata apenas sorriu — estava livre, enfim.

DK saltou do barco e correu até Zapata.

— Meu amigo, você voltou! Está bem?

— Apesar de tudo o que aconteceu, estou melhor do que nunca, DK! Mas confesso que não foi nada fácil.

O pescador Tantan, após ancorar também o *Vida Bandida*, dirigiu-se aos garotos para pedir que alguém explicasse o que estava acontecendo — ele participou de toda a ação, mas não entendeu nada do caso. Quando viu Zapata deitado, levou um susto.

— Meu Jesus, me proteja! — pediu o pescador, escondendo-se atrás de uma mulher. — Como pode o Guri estar aqui e vocês não fazem nada? Não têm medo? Eu conheci muito bem esse menino antes de ele desaparecer. Tantos anos depois, ele não mudou nada.

Vollare seguiu até Tantan, pegou-o pelo braço, tentando acalmá-lo.

— Não se preocupe! Este não é o Guri. É o Zapata, nosso amigo — revelou. — Eles são muito parecidos mesmo.

— Então vocês já conhecem essa história maluca

do Guri? — perguntou Zapata, se levantando da areia.
— Nós conhecemos! E você? — estranhou DK.
— Eu sei mais do que ninguém. Aquela maluca da dona Hélia não parava de me chamar por esse nome — contou.
— Como assim? — estranhou Vollare.
Zapata respirou fundo e sorriu.
— A história é longa! Vocês querem saber agora?
— Imediatamente! — pediu Nara, que surgiu entre as pessoas junto de Mina. — Eu não estava mais aguentando ficar longe de você.
Zapata abriu um sorriso enorme ao ver a garota, ainda mais com aquele interesse por ele.
— Lógico que queremos saber! Fala logo! — pediu DK, interrompendo o clima que estava se formando entre o casal.
— Bom, vamos lá... — começou Zapata. — Tudo começou com isso aqui...
Então, o garoto tirou de um bolso de dentro do casaco um objeto enrolado em um lenço vermelho. Mina teve a imediata impressão de que era o mesmo embrulho que o estrangeiro havia dado para dona Hélia quando viu os dois conversando na porta da pousada.
Zapata desfez o embrulho e todos ficaram boquiabertos com o objeto que surgiu em suas mãos.

— É a pedra do Mediterrâneo! — exclamou Vollare.

— Exatamente igual à que eu ganhei do DK — identificou Mina.

— Onde você conseguiu isso, Zapata? — perguntou DK.

O menino começou a recordar toda a história:

— Vou começar do começo! — brincou. — Na noite do Réveillon, eu estava perambulando pela cidade com o Vollare quando percebi que tinha esquecido meu celular na pousada. Falei para ele que precisava ir buscá-lo, pois queria falar com meus pais logo depois dos fogos.

— Pois é... mas aí você não apareceu mais! — pontuou Vollare.

— Então, aconteceu o seguinte: quando cheguei lá na pousada, cruzei com um sujeito muito alto. Ele tinha os olhos claros e uma barba por fazer, vestido com uma roupa também clara e com um chapéu. Um típico turista estrangeiro. Pude ver quando colocou no balcão da recepção essa pedra, embrulhada com esse mesmo lenço. A atitude dele me chamou atenção e meus olhos se voltaram para o pacotinho vermelho. Quando saiu pelo portão, me aproximei cheio de curiosidade. Aí eu pude ver uma coisa muito, mas muito brilhante, que me deixou ainda mais interessado. Não me contive, acabei mexendo no objeto e vi, por um buraco na trouxinha, um pedaço dessa pedra maravilhosa.

— Mas por que ele havia deixado a pedra no balcão da pousada? — questionou Nara.

— Boa pergunta! Ele, muito provavelmente, tinha combinado com dona Hélia que deixaria lá para que ela pegasse. Mas foi muito burro, pois não deixou escondido, nem nada. Qualquer pessoa que passasse por ali podia roubar esse tesouro. O problema é que dona Hélia me flagrou.

— E lá você já notou que ela tinha alguns problemas? Porque a gente demorou... — brincou DK.

— Problemas? Bota problema nisso! Se liga no que aconteceu: primeiro eu ouvi um grito estridente. "Por que está mexendo aí?". Levei um susto tão grande que acabei deixando a pedra cair no chão. Quando me dei conta, ela estava jogada a meus pés, transtornada. Ela repetia: "Você não podia ter feito isso! Quem é você? Seu ladrãozinho!". Eu só fiquei quieto, né? Estava apavorado com aquela reação. Dona Hélia percebeu então que, com a queda, a pedra tinha perdido um pedaço.

— Lógico! Foi o pedaço que eu achei lá na recepção! — disse DK.

— E era isso que dona Hélia tanto procurava quando eu cheguei na pousada naquela noite. Não

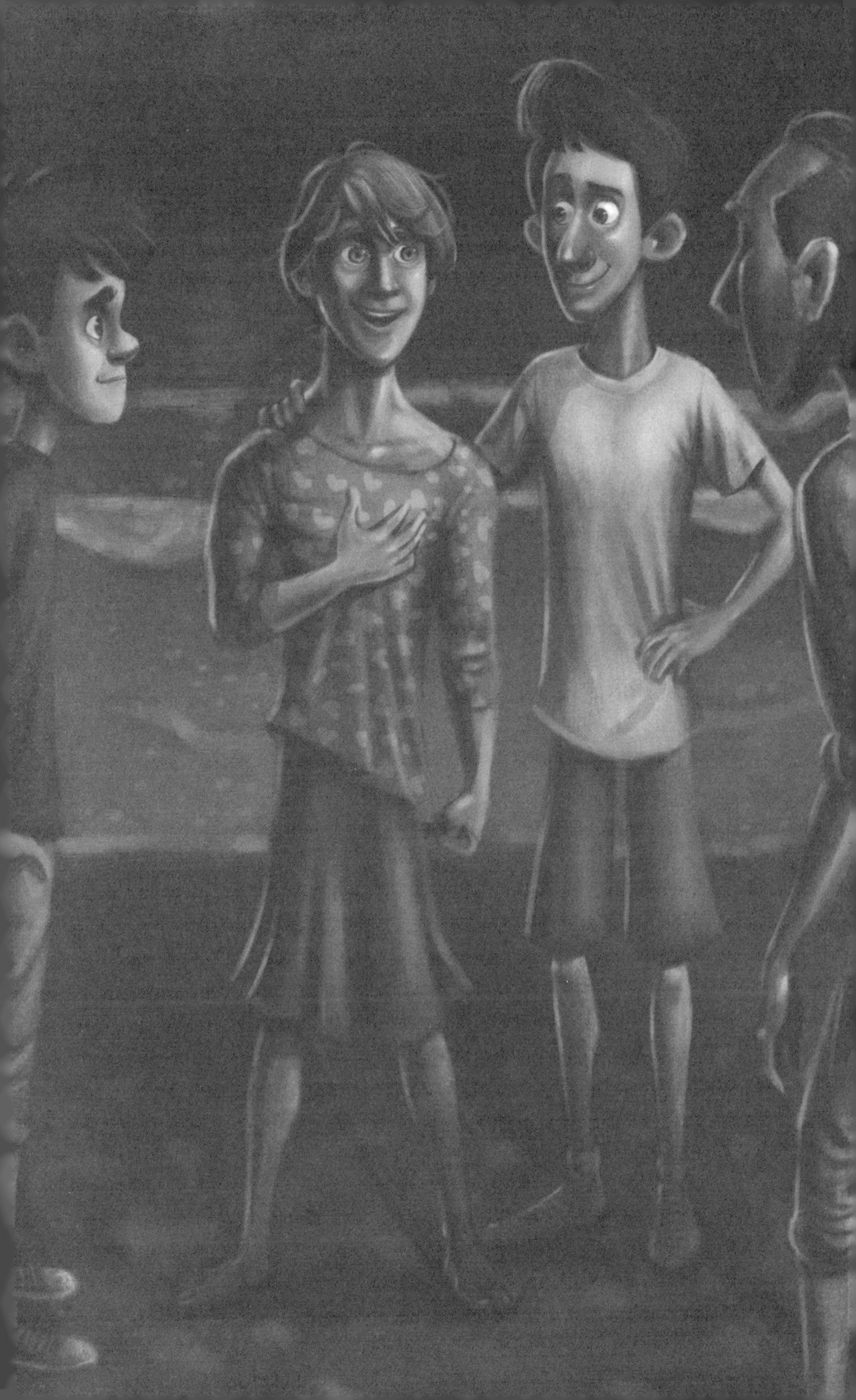

parava de procurar algo no chão — lembrou Vollare.

— Só que vocês nem podem imaginar o que estava por acontecer. A coisa mais maluca que vivi. Cheia de fúria, dona Hélia se levantou e, pela primeira vez, me encarou. Foi quando vi aqueles olhos cheios de raiva, com as suas pesadas olheiras, se arregalarem. Ela deu alguns passos para trás assustada e disse: "Guri? O que você está fazendo aqui? Você voltou?".

— Então a dona Hélia conhecia o Guri? — perguntou Mina.

— Espera, você vai saber! — respondeu Zapata. — Quando ela me chamou por aquele nome, eu não entendi bulhufas. Ela pegou a pedra quebrada do chão e a abraçou, tentando protegê-la. Eu estava em estado de choque, nem sabia o que fazer. Foi quando ela partiu para cima de mim. Estava completamente descontrolada, me xingava e repetia sem parar que eu não iria de jeito nenhum atrapalhá-la mais uma vez. E disse mais: se fosse possível me matava de novo!

— Matava de novo? — Vollare se assustou. — O que ela quis dizer com isso?

— Pois é, isso eu iria descobrir mais pra frente — continuou Zapata, falando aos amigos. — A única coisa que pensei naquele momento é que nós estávamos em perigo hospedados em um lugar onde a responsável era uma assassina. Eu precisava, de qualquer modo, avisar vocês dois, pois tínhamos que sumir daquela pousada o quanto antes. Mas dona Hélia não me soltava, estava me arranhando todo, chegou a rasgar a minha camiseta. Com muita culpa, dei um forte empurrão nela, que caiu no chão, e a pedra que estava sob seu poder voou longe.

— E todo mundo falando que aquela mulher era um anjo de pessoa... — exclamou DK.

— Anjo? Nem de longe! Eu logo percebi que aquela pedra trazia algo de especial, só precisava descobrir o que era. Enquanto dona Hélia se restabelecia da queda, peguei a pedra no chão e saí correndo. Ela tentou até ir atrás de mim, mas, para minha sorte, surgiu outro hóspede a procura dela naquele momento.

— E o que você fez, meu amigo? — perguntou DK, tenso.

— O que eu fiz, DK? Procurei você! Eu sabia que tinha marcado de se encontrar com a Mina atrás da igreja, o Vollare tinha comentado comigo. Então fui pra lá direto!

— Desculpa, cara! — falou DK, abraçando o amigo. — Eu não sabia...

— Mas ele avisou a gente que era coisa séria! — Mina se intrometeu. — Eu até falei para você ir atrás dele.

— É verdade! — concordou Zapata. — Como não tive sucesso, procurei Vollare. Só que ele não estava mais no local que a gente tinha combinado de se reencontrar.

— É que você estava demorando! Fui te procurar! — argumentou Vollare.

— Foi quando eu encontrei a Nara!

A menina ficou envergonhada e até abaixou a cabeça naquele momento. Zapata prosseguiu:

— Só que ela também não quis me ajudar. Aliás, disse para eu sumir para sempre. Fiquei tão, mas tão abalado, que até perdi o rumo.

— Não foi por mal, Zap... — Nara falou, sendo interrompida por DK:

— Está devendo uma para ele, hein?

— Parem com isso! — repreendeu Vollare, pedindo para o que amigo continuasse. — O que aconteceu depois, Zapata?

— Aconteceu que eu comecei a andar por todos os cantos da cidade. Não sabia o que fazer, onde me proteger. Foi quando eu fui até o mar decidido a me livrar daquela pedra que brilhava sem parar.

— Era você que estava lá na ponta da praia, né moleque? — perguntou o pescador Tantan, que ouvia a história ali perto.

— Sim, sim. Foi o senhor que tomou um susto comigo, não é? Eu não tinha entendido o porquê. Só depois fui descobrir que eu era parecido com o tal do Guri

— ele disse. — Daí resolvi não jogar mais a pedra longe. Talvez fosse mais importante ficar com ela. E deixei o mar com a pedra na mão, olhando pra ela. Foi quando surgiu na minha frente o sujeito que havia colocado o embrulho com a pedra na bancada da recepção.

— O estrangeiro! — falou DK.

— Esse mesmo! Aquele homem alto sorria de um jeito cínico, que não me enganava. Ele estava tentando ser simpático. Só que quando chegou bem perto de mim, disse, quase cochichando: "Nem tente fugir! Me acompanha, senão vai ser muito, muito pior para você!". Ele teve sorte, porque ninguém podia suspeitar da ação dele, já que, naquele momento, as pessoas estavam se entretendo com os fogos na praia.

— E você? — perguntou Mina.

— Eu? Eu obedeci! Ainda mais um sujeito daquele tamanho...

— E para onde vocês foram? — quis saber ela.

— Para a pousada!

— Você estava lá o tempo todo? — perguntou Vollare, surpreso.

— O tempo todo! Muito perto de vocês. Quando chegamos lá, ele pegou na recepção a chave do quarto 23...

— O quarto que ficava separado, lá no fundo, como uma edícula — lembrou DK.

— Exato, esse mesmo! Que era o quarto onde ele estava hospedado também. Ficamos o tempo todo trancados lá dentro. Aquele sujeito era tão estranho... ora falava inglês, ora falava português. A primeira coisa que fez quando chegamos naquela noite foi tirar a pedra de mim e embrulhar outra vez no lenço vermelho. "É nosso guia", ele disse. Eu preferi ficar quieto. Ele me mandou entrar no banheiro e disse que era ali que eu moraria por um tempo. Eu estava apavorado. Foi quando dona Hélia entrou no quarto, sem bater... Ela estava toda arrumada.

— Ela ia para a homenagem, não? — lembrou Vollare.

— Isso mesmo! Lá no quarto, ela me chamou de Guri outra vez. Aliás, ela só me chamava por esse nome. Disse que estava de saída, mas que em breve voltaria para a gente conversar.

— Nossa, que terrível! — suspirou Nara.

— Terrível? Fiquei esse tempo todo trancado no banheiro daquele quarto. Esse era o cativeiro.

— Mas por que não tentou o assovio antes? Se estava tão perto... — perguntou DK.

— Por quê? Mas que pergunta! Você acha que eles dariam ponto sem nó? Eu fiquei um bom tempo amarrado, amordaçado. Não conseguir gritar, assoviar, nada. E eu fiquei com medo, né? Afinal, eu estava nas mãos de uma assassina e de seu comparsa.

— Assassina? Você descobriu depois quem ela tinha matado? — estranhou Mina.

— O Guri. Foi dona Hélia que matou o Guri.

Naquele instante, a história foi interrompida por um sonoro "Oh".

— Pois é! Dona Hélia e Dodge falavam muito nesse cara, e eu não conseguia entender por que ela me tratava como se fosse ele. Ela tinha certeza que eu era o Guri que tinha retornado para atrapalhar os planos dela.

— E qual era esse plano? — perguntou DK.

— Recuperar as tais pedras preciosas. Essa aqui — e Zapata mostrou mais uma vez a que estava na sua mão — era a que dona Hélia tinha ganhado do Guri, quarenta anos atrás, quando eles eram namorados.

— Namorados? — interrompeu Nara.

— Isso mesmo! Eles tiveram um caso quando eram jovens. O que aconteceu foi o seguinte: o Guri era um rapaz que adorava surfar. Vivia pelos mares, buscando novas ondas, gostava de se arriscar, da adrenalina. Um dia, indo para os lados da encosta de pedra, ele descobriu escondido entre as rochas um oásis onde haviam pedras preciosas como essa aqui.

— Por isso que dona Hélia e o estrangeiro viviam indo para aqueles lados — associou Vollare.

— Dona Hélia era louca por essas pedras desde quando Guri deu um exemplar de presente para ela. Quando soube que o namorado tinha encontrado o lugar de onde brotavam essas preciosidades, sugeriu a ele que poderiam pegar várias, vender e ficar ricos. Só que, para decepção dela, ele recusou a proposta. Dona Hélia vivia repetindo que ele era um idiota... e também me chamava assim. Ela disse que Guri preferiu contar sobre a descoberta para um tio, que era especialista no assunto.

— O senhor Fisher! — completou DK.

— Não sei o nome desse sujeito. Só sei que aí, naquele verão, dona Hélia conheceu esse tal de Dodge, um turista americano que tinha vindo passar as férias aqui na Vila dos Dois Ventos.

— Agora ficou claro por que tinha uma foto com ela no jornal daquela época — esclareceu Nara. — Mas e o que mais?

— E ela se apaixonou por ele e começou a trair o Guri.

— Que sem caráter! — exclamou DK.

— Isso é o de menos perto do que eu vou contar...

— Então conte, está esperando o quê? — interrompeu Tantan, entusiasmado com a história.

— Certa noite, Guri havia convidado dona Hélia para conhecer o local em que se encontravam as tais pedras maravilhosas. Mas como ela tinha segundas intenções, levou Dodge para o encontro, sem que o namorado soubesse. Guri, ao ver o sujeito, não gostou nada e perguntou o que ela pretendia. Ele desconfiou que Hélia estava mesmo interessada em pegar as pedras e vendê-las.

— Meu Deus! Quantos anos ela tinha na época? — pensou Mina em voz alta.

— Acho que uns 17 ou 18. Pelo que entendi era por volta disso.

— Conta mais, conta mais! — pedia o pescador, ansioso.

— Então Guri disse que não levaria Hélia até o local se o americano estivesse junto. Aí, eles discutiram feio e a jovem dona Hélia empurrou Guri no mar.

— Meu Deus! — exclamou Vollare.

— Ela é maluca! — completou DK.

— E ela nunca teve remorso, não. O Dodge que vivia falando que até tentou resgatá-lo, mas o mar revolto impediu que fizesse isso. Guri acabou sendo arrastado pela correnteza e sumiu na escuridão.

— E o que eles fizeram depois? — indagou Nara.

— Fugiram, lógico! Desesperados com o acontecido, os dois partiram da cidade na mesma noite.

— É exatamente isso que aconteceu — confirmou o delegado Hércules, que se aproximava e que pôde ouvir um pouco a história que Zapata contava. — O tal do Dodge contou a mesma história lá na delegacia. Então, como vemos, depois de quarenta anos, o caso do Guri foi solucionado. Esse mistério durou tanto tempo porque o assassinato não teve testemunhas, o corpo se perdeu no mar e os assassinos fugiram na mesma noite do crime.

— Credo em cruz! Que história assustadora! É pior que ver fantasma! — exclamou Tantan.

— Então dona Hélia voltou para reencontrar as tais pedras? — rememorou Mina.

— Exato! Voltou para Vila dos Dois Ventos para recuperar esse tesouro que só ela sabia que existia, pois o Guri não tinha conseguido falar para mais ninguém. Chamou o seu fiel escudeiro, pois precisava de uma pessoa forte para ajudá-la e protegê-la. E ela carregava a pedra que ganhou do Guri de um lado para o outro para ver se encontrava alguma coisa semelhante.

— Ela sabia qual era mais ou menos o caminho para chegar lá? — perguntou o delegado.

— Parece que sim! Muito mais ou menos, porque o Guri só falou para qual lado o rochedo ficava, mas nunca tinha revelado qual era o lugar exato. De vez em quando o Dodge me deixava trancado no banheiro, amarrado, para acompanhá-la na procura.

— Ei, posso fazer uma perguntinha? — disse Tantan.

— Diga! — autorizou Nara.

— Para onde esse pessoal estava indo a essa hora da noite, para aqueles lados da Ilha Quebrada? É um perigo ir para lá nessa escuridão...

— Depois de muito tentar encontrar o local andando pelas pedras, a ideia agora era tentar encontrar a rocha navegando pela encosta. O plano era sair durante a noite, passar a madrugada no mar e começar as buscas assim que o sol aparecesse.

— E por que, dessa vez, eles não deixaram você na pousada? — quis saber Mina.

— Porque eles iam me matar — revelou Zapata, sob mais um sonoro "Oh!" coletivo. — Dona Hélia queria que eu (no caso, o Guri) voltasse para onde eu não devia ter saído e ordenou que Dodge fosse até alto-mar e me jogasse lá.

— E essas roupas? — lembrou Vollare.

— Me vestiram com as roupas da dona Hélia para me trazerem até o barco, aqui na praia, sem que eu fosse reconhecido. Vim abraçado com Dodge, como se fosse uma companheira. Foi constrangedor.

— Está sendo ainda — brincou DK.

Nara, observando Zapata contar a história, pegou de novo a cópia do jornal que tinha a fotografia de

Guri para comparar a semelhança dos dois. O menino olhou a foto e ficou impressionado:

— Sou idêntico a ele!

— Igualzinho! — concordou Tantan. — Eu bem que tinha falado!

— Ela é louca, cara! — disse DK. — Provavelmente estava obcecada por você por causa dessa semelhança terrível.

— Justamente! — emendou Vollare. — Por isso que ela só te chamava pelo nome dele. É claro!

— Ela achava que eu era o Guri, não conseguia entender a lógica da cabeça dela! A mulher estava doida, sem juízo mesmo — revelou o menino.

— E o estrangeiro também achava que você era o Guri? — quis saber Nara.

— Ele não, Nara! Era mais sensato, mas queria meu sumiço porque, de certa forma, eu tinha descoberto todo o plano deles. Mas ele sempre dizia: você é muito parecido com o Guri. Na verdade, a reação da dona Hélia comigo fez com que as coisas saíssem dos trilhos. E ele tentava segurar a bronca.

Vollare naquele instante teve um estalo:

— Lógico!

— O que foi, Vollare? — perguntou Mina.

— O estrangeiro era o sujeito que estava perguntando, em inglês, se alguém tinha encontrado algo.

Foi o que eu ouvi na noite do Ano-Novo, quando voltei para a pousada. Era uma conversa dele com dona Hélia, querendo saber sobre a pedra desaparecida e que estava com Zapata.

— Só que tem uma coisa que ainda está sem explicação! — falou DK. — A prancha que apareceu em alto-mar, toda quebrada...

— Você nem imagina quanto eu sofri com isso — disse Zapata, desolado. — O estrangeiro começou a perceber a movimentação de vocês para me encontrar. Temendo que o cerco se fechasse, decidiu plantar uma pista falsa. Pegou a chave do quarto 17 entre as chaves reservas que ficam guardadas no quarto da dona Hélia e entrou lá, em busca de algum objeto meu. Acabou encontrando a prancha com meu nome, tirou de cima do guarda-roupa e destruiu minha companheira na minha frente. Como eu chorei aquele dia. Aí jogou os pedaços no mar, levantando a suspeita de que eu poderia estar morto.

— Mas eu fui mais inteligente e percebi na hora que se tratava de uma armação! — lembrou Vollare.

— Agora eu tenho uma dúvida! — pontuou Mina. — Como vocês chegaram até o Zapata?

— Pelo assovio — explicou DK.

— Pois é! Quando me tiraram do quarto, todo disfarçado com as roupas de dona Hélia, lembrei de assoviar. Aquele era um sinal que certa vez tínhamos combinado que eu faria caso algo acontecesse comigo no mar.

— Funcionou direitinho! — afirmou Vollare. — Você é incrível meu irmão!

Quando Vollare foi abraçar o amigo, Zapata percebeu o machucado em seu rosto.

— O que aconteceu com você? Apanhou? — ele perguntou.

Vollare olhou para DK, que fingiu que não era com ele. O clima ficou estranho. A sorte dos dois garotos é que, quebrando o constrangimento, os curiosos aplaudiram a resolução do caso, felizes por tudo ter terminado bem.

— Ah, uma última coisa — disse Zapata, levando a pedra em direção ao delegado. — Acho que isso deve ficar com a polícia!

— Desculpe me intrometer — falou Vollare. — Eu acho que não! Isso deve ser levado para o senhor Fisher!

— Estou de acordo com meu amigo — disse DK. — Zapata, por acaso, você conseguiria lembrar como, mais ou menos, podemos encontrar o local onde ficam as pedras preciosas?

— Acho que sim, cara. Acho que sim — respondeu o garoto.

OLHOS DE ZAPATA

Depois da intensa noite, os três amigos dormiram até quase a hora do almoço. Precisavam descansar após tantos dias de tensão que, para alívio de todos, haviam terminado bem com o resgate de Zapata.

Por conta da fuga nada estratégica de dona Hélia, a polícia comunicou os hóspedes da pousada que a responsável pelo lugar tivera que viajar com urgência — preferiram não contar os detalhes do caso para não assustar ninguém. Uma amiga que dona Hélia tinha feito em sua temporada na Vila dos Dois Ventos acabou assumindo provisoriamente o comando do estabelecimento.

Vollare foi o primeiro a despertar. Ainda na cama, pegou o celular e telefonou para a casa do senhor Fisher. Dora, a fiel empregada, atendeu e passou o recado para o patrão: que os meninos que haviam visitado ele dias antes tinham encontrado mais pistas sobre a pedra do Mediterrâneo. Entusiasmado, o velho aceitou o convite para se encontrarem dali uma hora na Praia do Guri.

A ideia era fazer Zapata guiar o grupo de acordo com as informações que tinha ouvido durante o tempo de convivência com dona Hélia e o estrangeiro. O menino apenas atentou que, talvez, a melhor alternativa seria ir de barco e tentar repetir a rota que os bandidos se preparavam para fazer quando foram capturados. Por isso, Tantan — que além de impressionado, havia ficado encantado com a história — também foi convocado por Vollare.

Quando senhor Fisher colocou os pés na areia, os três meninos já estavam próximos ao mar, junto ao pescador. O homem estava acompanhado de sua fiel guardiã. Usava um grande chapéu de palha e seu rosto estava todo branco, pintado com algum protetor solar.

— Há quanto tempo não desço até aqui! — suspirou o velho. — Às vezes é bom sair lá daquela torre em que eu vivo — brincou, referindo-se à casa em que morava no alto do morro.

Ele identificou os meninos e caminhou até eles. Fazia muito calor e o senhor Fisher suava sem parar. Dora andava ao seu lado, abanando-o com um leque. Quando chegou mais perto, percebeu a presença de um terceiro garoto.

O rosto dele não lhe era estranho.

Não podia ser quem estava imaginando.

Coçou os olhos para confirmar o que via.
Ao chegar na frente de Zapata, abriu os braços.
— Como isso pode estar acontecendo comigo? Guri, é você? — perguntou, emocionado.
Zapata ainda não sabia muito bem como agir nas situações em que era confundido com o antigo surfista. Vollare preferiu intervir.
— Senhor Fisher, infelizmente este não é o seu sobrinho... é nosso amigo de infância.
— Mas é impressionante como ele é igual ao meu menino... — disse, chegando até a passar a mão no rosto do sósia. — Até esses olhos lindos! Nunca vi alguém nessa minha vida que tivesse os olhos iguais aos do Guri. E você tem!
Mesmo sabendo que não se tratava do sobrinho, senhor Fisher fez um pedido:
— Posso te dar um abraço?
— Lógico! — permitiu Zapata, sem imaginar que seria sufocado pelos braços fortes do sujeito.
Assim que soltou o menino, o homem foi ao assunto que tinha o levado ao encontro.
— Dora me disse que vocês têm novidades sobre a minha pedra?
— É isso mesmo — confirmou DK. — O nosso amigo sabe como chegar ao grande rochedo que o senhor procura há tantos anos.

— Não pode ser! — duvidou o velho. — Fale logo, menino!

— Olha, pelo que sei, ele está localizado na região costeira, mais para o alto-mar. É impossível chegar a pé. Por isso chamamos o senhor Tantan, que é pescador, para nos levar lá.

Tantan deu um tchauzinho, se identificando ao lapidador.

— Pode tirar o "senhor", por favor — pediu o pescador, apresentando sua máquina: — Subam no *Odisseia*!

Os meninos prontamente pularam para dentro do barco. Enquanto Zapata subia, explicou:

— Devemos todos ficar atentos a qualquer buraco que possa nos levar à essa rocha. Pode ser até que se trate de uma caverna.

Surpreso com a convicção do garoto, senhor Fisher desconfiou:

— Como você sabe disso tudo? Como soube o mapa da mina? Faz tantos anos que eu procuro esse lugar e nunca cheguei nem perto!

— Foi o Guri, senhor Fisher — revelou DK. — A história é longa, depois contamos todos os detalhes para o senhor. Acho que agora não podemos mais perder tempo.

— Concordo! — respondeu o velho, pedindo ajuda para subir no *Odisseia*.

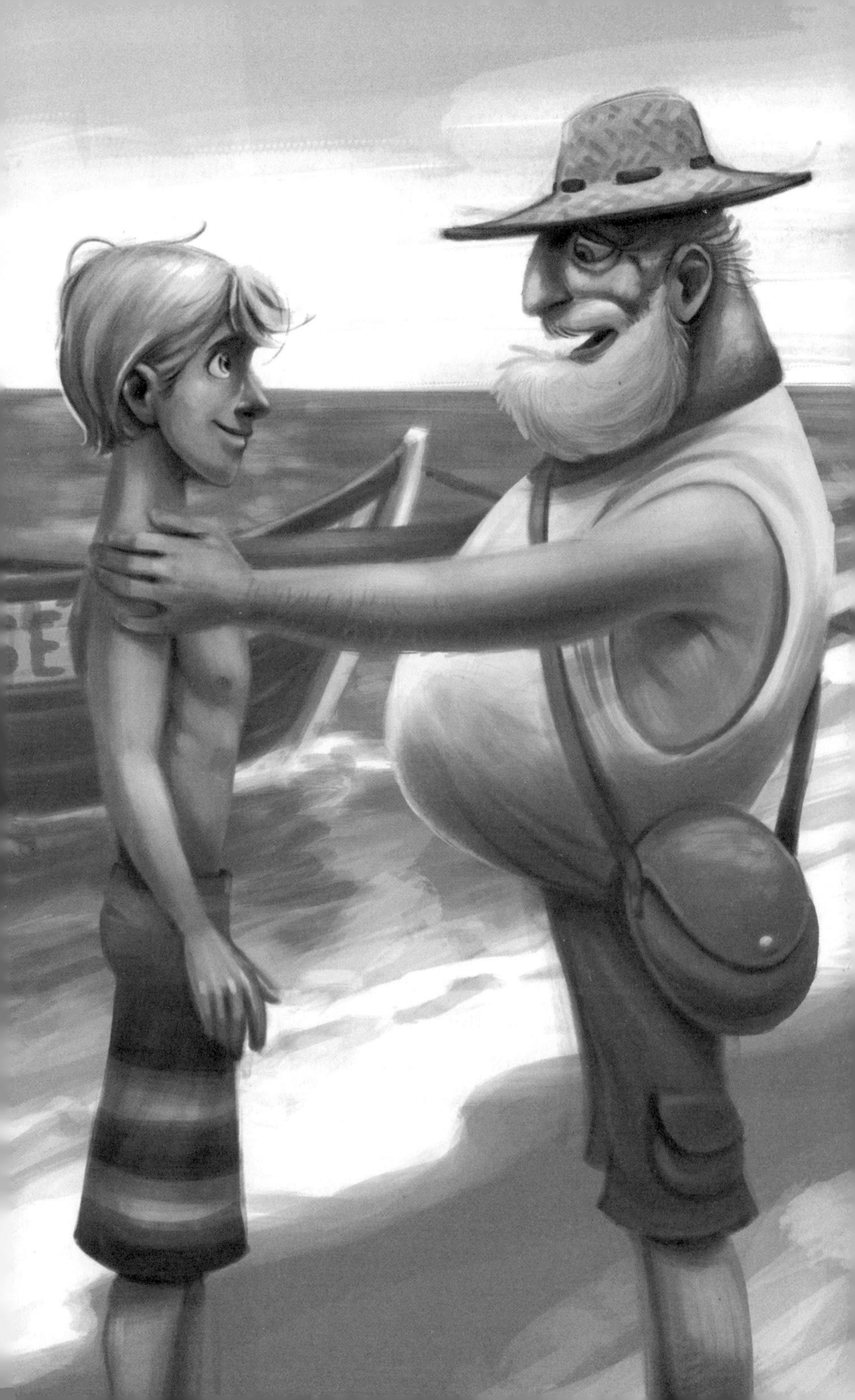

Com todos a postos — menos Dora, que tinha vindo de roupa de banho e iria esperar na praia —, o pescador levou o barco para a direção indicada por Zapata. Senhor Fisher estava embasbacado, sem acreditar no que estava acontecendo.

Os olhos de todos os tripulantes estavam atentos em busca de algum sinal do rochedo valioso. O *Odisseia* navegava bem lento próximo da imensa parede de pedras, que formavam a grande Montanha da Águia.

Depois de quase duas horas de busca — e com o pescador reclamando de fome —, Zapata apontou algo.

— Olhem naquele buraco entre as pedras! — e todos olharam para onde o dedo do menino indicava. — Parece que é um lugar iluminado.

DK confirmou o que o amigo tinha visto.

— É! Está reluzindo!

— Vamos até lá! — ordenou senhor Fisher, levantando-se.

Como ele era grande e pesado, seu movimento brusco desestabilizou o barco, que quase virou. Todos os passageiros se seguraram e puxaram o velho para o assento.

Vagarosamente, o *Odisseia* foi encostando nas pedras, muito próximo do local onde saía a misteriosa luz azul. Os ocupantes do barco saltaram um por um, cheios de cuidado.

Zapata tomou a frente. Foi até o imenso buraco e colocou a cara lá dentro. Após verificar do que se tratava, voltou aos amigos que esperavam curiosos:

— Vocês nem imaginam o que tem aqui dentro!

Zapata pulou no buraco. Era uma espécie de caverna toda cravejada com as pedras do Mediterrâneo. DK, Vollare e Tantan desceram na sequência e, em uma manobra quase impossível, conseguiram encaixar senhor Fisher de um jeito que passasse pelo buraco — não seria justo ele ficar de fora.

Do lado de dentro, não conseguiam acreditar no que viam. O lugar era mágico.

— Tantos anos e eu, enfim, consegui encontrar vocês! — dizia senhor Fisher, encantado com tantas pedras do Mediterrâneo fulgurando por todos os cantos.

— Olha isso! — Zapata chamou atenção dos companheiros. Ele estava agachado, e tinha uma corrente nas mãos. — alguém já esteve aqui!

Senhor Fisher viu o objeto nas mãos do menino e correu até ele. Olhou bem de perto: era uma corrente prateada e que tinha uma pedra pendurada — mas não se tratava de uma do tipo Mediterrâneo.

— O amuleto com a pedra malaquita! — reconheceu o velho. — Eu que fiz e dei para o Guri. Certeza que era a dele. Eu sou capaz de identificar todas as peças que já fiz!

— Então quer dizer que ele já esteve aqui mesmo! — falou DK.

— Era um rapaz muito danado! Deve ter descoberto esse lugar antes de sumir. Ele era um desbravador, gostava de se aventurar por esses mares. Um dia deve ter chegado até aqui — suspeitou o tio. — E como desde criança me acompanhava nas minhas experiências com as pedras preciosas, provavelmente desconfiou que essas eram valiosas. Por que será que ele nunca chegou a me falar sobre elas?

— É essa a questão, senhor Fisher — contou Vollare. — Descobriram que o Guri havia encontrado esse tesouro, mas deram um jeito de desaparecer com ele para que pudessem voltar aqui e roubar as pedras brutas. Mas isso é uma longa história...

— Não importa, não importa! Depois você me conta... tenho tempo de sobra para ouvir essa longa história. Agora só quero levar umas delas para casa para que eu possa analisá-las com cuidado — então, o lapidador tirou do bolso um instrumento e começou a recolher algumas amostras. — Depois você me traz aqui de novo, Tantan?

— Só se o senhor me dar um pedacinho de uma dessas aí — respondeu o pescador.

Todos olharam para ele, achando graça do pedido. Assim que percebeu, tratou de se justificar.

— Eu só acho que mereço alguma coisa por esse favor que eu fiz para vocês, ué!

O pessoal, então, caiu na gargalhada.

Senhor Fisher pegou um pedaço da pedra do Mediterrâneo e olhou fixamente para ela. Seu campo de visão também alcançava Zapata, que estava logo atrás. Pôde, assim, comparar a cor cintilante da joia com os olhos do menino.

— Qual é mesmo seu nome? — perguntou.

— Zapata!

— Você merece uma homenagem por ter nos trazido aqui.

— Jura?

— A partir de agora essa pedra se chama "Olhos de Zapata".

O menino ficou sem palavras com a consideração. Em seguida, o velho perguntou:

— Você surfa, como meu sobrinho?

— Sim! Aliás adorei a coragem dele — revelou. — Só preciso agora comprar uma prancha nova...

Então, senhor Fisher pegou o amuleto de Guri das mãos do garoto e pendurou em seu pescoço.

— Este amuleto eu dei para meu sobrinho para que ele se protegesse nos mares. Essa pedra, a malaquita, é conhecida por proteger os navegantes. E o surfista nada mais é que isso: um corajoso navegante. Ela é sua agora.

AMORES DE VERÃO

— Para com isso, DK! — disse Mina, sendo puxada pelo garoto.

Sem qualquer vergonha, ele se ajoelhou ali, no meio da praça.

— Por favor, me dê mais uma chance! — pediu. — Hoje é meu último dia aqui na Vila e não posso voltar para casa brigado com você!

A garota estava quase dando o braço a torcer. Afinal, todo mundo merecia uma chance, ainda mais depois da conversa séria que tinham tido. DK prometeu mesmo mudar seu comportamento.

Depois de receber um sorriso como resposta, ele pegou-a pela mão e a levou, é claro, para os fundos da igreja, palco de tantos encontros dos dois. Mas, ao aparecerem lá, tiveram uma surpresa:

— Ocupado!

Ao olharem para o lado, caíram na gargalhada. Zapata e Nara usavam aquele espaço para, enfim, se acertarem.

— Achei que aqui daria sorte! — brincou Zapata.

— Na verdade, eu achava mesmo que Nara tinha que te proporcionar essa sorte! — retrucou DK, em tom de brincadeira.

— Pois é... acho que esse tempo todo fui injusta com o Zapata — falou Nara, abraçando o garoto. — É aquela coisa que todo mundo diz: "A gente só dá valor quando perde!".

— Nesse caso eu diria "quando desaparece!" — falou Mina. — Fico muito feliz de ver vocês juntos. Pena que só rolou agora, no fim das férias, né?

— Como se isso fosse problema... — respondeu Zapata. — No próximo verão estaremos aqui na Vila dos Dois Ventos outra vez, não é DK?

— Se depender de mim, volto todo fim de semana — falou, dando um beijo no rosto de Mina, que àquela altura já tinha deixado seu coração falar mais alto.

— Mas precisamos ver se o Vollare topa, né? — disse o amigo.

— Eu? Eu topo muito! — ele respondeu, no outro canto.

Só naquele momento, DK e Zapata notaram a presença do amigo lá atrás da igreja também. E ele não estava sozinho.

— Fui o primeiro a chegar aqui e vocês nem perceberam! — brincou, de braços dados com uma simpática morena. — Essa aqui é a Taty! Nos conhecemos na noite em que o Zapata foi resgatado. Ela viu toda a correria que fizemos e veio atrás de mim, curiosa. Aí eu me encantei...

— Muito prazer, Taty — disse Mina.

— Bom, pelo jeito todos nós estamos partindo aqui da Vila dos Dois Ventos bem-resolvidos — falou Zapata. — Que horas sai o nosso ônibus, Vollare?

— Daqui mais ou menos uma hora. Precisamos correr! — respondeu o garoto.

DK tirou do bolso o colar com o pingente que Mina havia feito com a pedra e colocou no pescoço da menina.

— Agora que o senhor Fisher tem todas as pedras que deseja, pedi que essa, pelo menos, ficasse comigo. Ou melhor, com você.

— Obrigada por me fazer sentir tão única!

— Mais ou menos, amiga. Mais ou menos! — brincou Nara.

Quando Mina foi ver sobre o que a amiga se referia, percebeu que no pescoço dela também havia um pingente feito com uma pedra do Mediterrâneo.

— Eu também pedi um pedaço dos "Olhos de Zapata" para o senhor Fisher para dar ao meu amor. Nada mais justo! — contou Zapata, aos risos.

— Até eu ganhei! — disse Taty, ao fundo, com um colar igual ao das meninas. — Me dei bem...

— Pois é! Eu não poderia ser excluído dessa distribuição de pedras! — divertiu-se Vollare.

Aí, de repente, os seis tomaram um susto com um grito que ouviram:

— Que pouca vergonha é essa atrás da minha igreja!

Era o padre Aron que havia pego a turma no flagra e estava decidido a dar um fim nos encontros por lá. Mas quando viu, entre os jovens, um garoto com a cara de Guri, saiu correndo e esqueceu da bronca.

— Ser parecido com o Guri tem suas desvantagens, mas tem suas vantagens também — brincou Zapata, fazendo os amigos caírem na risada.

É O FIM?

— Vamos, Zapata! Corre! Está na hora! — gritou DK, já subindo no ônibus.

— Esse Zapata está lento demais! Parece até que ele não quer ir embora! — disse Vollare, puxando as malas. — Acho que ele curtiu as férias, mesmo ficando trancado dentro de um banheiro quase o tempo todo.

— Para de me zoar, moleque! No fim, pelo menos é uma grande história para contar — falou o terceiro amigo, que vinha bem atrás.

Naquele instante um breve filme passou pela cabeça de Zapata. Que férias, hein? Apesar de tudo, estavam todos sãos e salvos. E ele ainda voltava para a capital carregando consigo o amuleto de estimação do Guri, que o protegia pelos sete mares. Zapata, mais do que nunca, sentia que podia ir além.

— Zapata, vai fechar a porta! — falava DK da janela do ônibus. — Pode partir sem ele, motorista! O garoto é lerdo demais.

Quando ia acelerar o passo, Zapata paralisou. Passou a mão no pescoço e não encontrou pendurada a malaquita que tinha ganhado de presente do senhor Fisher. Desesperado, olhou para trás e viu o amuleto caído no chão, no meio de inúmeros pés que iam e vinham na rodoviária.

    O garoto correu até a corrente, mas na hora que deu um impulso para pegá-la, foi surpreendido por uma outra mão, que se antecipou, e puxou o objeto antes que o alcançasse.

    Ao se levantar, deu de cara com uma mulher loira, vestida toda de preto, com óculos grandes e escuros que lhe cobriam quase todo o rosto. Ela segurava o amuleto. Zapata não pôde acreditar.

    Quando ela tirou os óculos, o garoto teve certeza.

    — Dona Hélia?

    Com suas olheiras profundas, ela deu um sorriso perverso.

    — Nós ainda vamos nos encontrar muito... Guri!

Uma conversa para depois da história

Muitas vezes, quando eu termino de ler um livro, fico imaginando um monte de coisas sobre como ele foi escrito. Para mim, saber como surgiu aquela ideia, como o escritor pensou nela e qual foi o processo criativo dele sempre deixa qualquer história mais saborosa. Aí fiquei pensando por que eu não poderia incluir nos livros que escrevo um material extra depois que acabasse? Um apêndice onde eu pudesse contar um pouco sobre meu trabalho na história que os leitores acabaram de ler? É, tipo um bate-papo com você, leitor.

Então, com essa ideia na cabeça, listei em formato de perguntas algumas curiosidades sobre os bastidores da criação de *Procura-se Zapata*. Espero que essa "conversa" possa deixar mais gostosa a aventura com Zapata, DK e Vollare na Vila dos Dois Ventos.

* * *

De onde surgiu a ideia de escrever a história *Procura-se Zapata*?
Essa pergunta é interessante porque ideias surgem de onde menos se espera. Mas tem uma coisa que acontece muito comigo: nomes que surgem na minha cabeça e ficam grudados. Pode ser de um personagem, pode ser o título de um livro. Foi assim com *Procura-se Zapata*: colou na minha cabeça e ficou. Achei interessante e sonoro, tanto o título quanto o nome do personagem. Aí, fiquei carregando comigo até começar a buscar que história estava por trás dele. Descobri que o Zapata seria um menino, um adolescente. Que ele desapareceria – já que ele seria procurado – e os amigos teriam que desvendar esse mistério. E assim comecei a desenvolver o universo que estaria por trás, o cenário, a época e tudo mais.

Quais inspirações o ajudaram a construir esta história?
Uma das partes mais importantes da minha juventude – dos meus dez aos 18 anos – foi com uma turma que fiz em um prédio onde passava as férias de verão, no litoral paulista. Então, sempre tive muita vontade de escrever uma história que se passasse num verão como aqueles que vivi. Quando o nome *Procura-se Zapata* colou na minha mente (como contei na resposta anterior), fiquei imaginando por que não colocar essa história em uma cidade litorânea em um verão. Via muitos amigos sur-

farem – eu nunca surfei, não sou nada habilidoso para isso! –, e achei interessante introduzir o tema na vida dos personagens. Fui buscar as inspirações no que costuma acontecer nos verões: as aventuras com os amigos, os amores – enrolados, conturbados, intensos – e o cenário de sol e praia.

A cidade Vila dos Dois Ventos existe de verdade?
Não, a Vila dos Dois Ventos não existe. É uma invenção minha. Não quis colocar uma cidade real porque queria um lugar que representasse qualquer cidade litorânea, seja no Sul, no Norte, Nordeste, em qualquer região do país. Busquei me inspirar em algumas cidades que conheci, como aquelas que, além de ter um atrativo turístico, têm uma grande importância histórica. A Igreja Matriz da nossa Vila – e toda a descrição dela – é um exemplo disso.

De onde você tirou o nome dos personagens?
Eu gosto de nomes diferentes, é verdade! Já viu alguém chamado DK, Zapata ou Vollare? Nem eu. Por isso acho interessante esses personagens serem únicos. Eu tenho um caderninho no qual anoto diversos nomes que ouço por aí, sabe? Vou anotando além de nomes, apelidos e sobrenomes sonoros que podem servir para batizar personagens nas histórias que surgem na minha cabeça.

Como funciona seu processo criativo?
A primeira coisa que eu faço é ir anotando as ideias. Elas surgem aleatoriamente e aos poucos vou fazendo as conexões. Chega um momento em que é preciso sentar para amarrar tudo. Então, diante do computador, escrevo um grande esqueleto da trama. Do começo ao fim. Com todas as cenas, o que acontece em cada uma delas, e vou descobrindo como a história avança. Com isso pronto eu passo a escrever o livro de verdade. Esse é um processo meu, tem escritor que sai escrevendo sem saber o fim. Não existe certo ou errado, mas eu preciso saber aonde vou chegar. Então, com o esqueleto em mãos, escrevo a primeira versão do livro, em que trabalho as descrições, desenvolvo as ações, coloco os diálogos. O esqueleto serve de guia, não preciso ficar preso nele 100%. Às vezes, descubro outro rumo para a história e, se precisar mudar, eu mudo. Feita a primeira versão, vou lá e reescrevo, reescrevo, reescrevo. *Procura-se Zapata* teve seis versões.

Então, você sabia desde o começo o que tinha acontecido com o Zapata?
Sim! Estava tudo planejado desde o começo. Pensei em toda a trama quando estava fazendo esse esqueleto da história.

O que você mais gostou ao escrever este livro?
Duas coisas me deram o maior prazer neste projeto. A primeira foi a ideia de trazer o cenário do verão para a história. Como eu já falei, tenho uma experiência pessoal e as lembranças dos verões que eu vivi, que eu achei gostoso retomar para criar este livro. Ah, se você ficou se perguntando se alguma coisa é real, eu digo que não. Essa história é toda inventada. Esse mistério, o desaparecimento, as pistas, o crime, tudo invenção da minha cabeça. E essa foi a segunda coisa gostosa ao escrever este livro: criar uma história como aquelas da Coleção Vaga-Lume – para quem não conhece, é uma coleção de livros muito famosa nos anos 1970 e 1980, que trazia obras para o público juvenil com muito mistério e aventura. Para mim foi uma forma de homenagear esses livros que conquistaram tantas gerações.

O final da história ficou em aberto. Isso quer dizer alguma coisa? Vai ter continuação?
Será? Eu só digo uma coisa: nessa Vila dos Dois Ventos muita coisa pode acontecer.